Preparar y cultivar la tierra

Lo que necesita saber para ser autosuficiente y sobrevivir, incluyendo consejos sobre cómo almacenar y cultivar sus propios alimentos y vivir sin electricidad

Tabla de Contenidos

Primera Parte: Prepping

Una Guía Esencial para Sobrevivir a cualquier Escenario SHTF Con Consejos para Implementar su Propio Sistema de Suministros, ser Autosuficiente, y Aprovisionarse Adecuadamente

Introducción

Gracias por elegir *Prepping: Una Guía Esencial para Sobrevivir a un Escenario SHTF. Con Consejos para Implementar su Propio Sistema de Suministros, ser Autosuficiente, y Aprovisionarse Adecuadamente.*

Obviamente usted siente inquietud por conocer más detalles sobre el *prepping*, y le felicito por dar este primer paso.

Este estilo de vida, en su concepto más básico, consiste en prepararse para hacer frente al peor de los escenarios posibles. Podemos comenzar aludiendo al ejemplo del huracán Sandy. Por supuesto, todos eran conscientes de que llegaría; la población había sido alertada. Incluso conocían la ruta que seguiría y los lugares que azotaría primero. ¿Pero estaban preparados? La respuesta es no, no lo estaban. La mayoría de la gente que se vio afectada había vivido previamente una experiencia similar – aunque de menor magnitud – y basaron sus expectativas en dicha experiencia. No se prepararon para el peor de los escenarios y eso es lo que obtuvieron.

Fue difícil, para muchos, imaginar cuán devastadores podrían ser los efectos de la marejada ciclónica o, cómo la consiguiente inundación causaría serios estragos en sus hogares. Simplemente siguieron la pauta recomendada – almacenar bienes para subsistir

72 horas - pero no fue suficiente. Las autoridades, al difundir sus recomendaciones, pasaron por alto un factor importante; las infraestructuras eran antiguas y sufrían serios problemas de deterioro.

Afortunadamente usted, al recorrer esta guía, está reduciendo las posibilidades de que un desastre así le sorprenda desprevenido. Es el propósito de este manual; compartir la mayor cantidad de información actualizada para ayudarle a sobrevivir en un caso como el citado arriba. Reconozcámoslo, el mundo de hoy en día ha tomado un rumbo un tanto aterrador y cualquier cosa podría suceder. El tiempo atmosférico es cada vez más impredecible, las guerras cada vez florecen en mayor abundancia, y países como Australia, Estados como California, o incluso el Amazonas, se están viendo envueltos en llamas, con los preciosos recursos naturales devastados y las personas aisladas, sin albergar esperanzas de ser rescatadas con inmediatez. Un aprovisionamiento para subsistir 72 horas no les servirá de mucho, ni le servirá a usted tampoco.

Este libro tiene un lenguaje claro y conciso que le ayudará a tomar la mejor actitud frente a una crisis. Incluye recomendaciones paso a paso, tutoriales, consejos prácticos de expertos y mucho más. Nada de datos innecesarios ni desactualizados, tampoco pautas imposibles de seguir. Todo lo que encontrará aquí es sencillo, coherente y muy fácil de llevar a cabo si se siguen las directrices adecuadamente.

Antes de lo que cree se habrá convertido en un auténtico *prepper* ¡Vamos a comenzar este viaje hacia el descubrimiento!

PRIMERA PARTE: PREPPING ESENCIAL

Una aproximación al Prepping

El término *prepping*, a nivel básico, proviene del vocablo inglés "preparation" o "preparing", pero su uso generalizado actual le ha conferido un significado mucho más extenso. De modo que ahora, la palabra va comúnmente asociada a organizar planes de acuerdo a encarar con éxito una posible catástrofe o alteración del orden público. Este movimiento abarca aspectos básicos, como el aprovisionamiento de alimentos, agua y medicinas entre otros – no obstante, su recorrido va mucho más allá.

Ciertas personas, encuentran ridículo el hecho de aprovisionarse para un posible cataclismo de dimensiones mundiales; las experiencias acontecidas en los últimos años demuestran lo contrario. En efecto, nos encontramos con que el número de desastres relacionados con el clima y las guerras es cada vez mayor, lo que sin duda nos lleva a pensar en el *prepping* como la alternativa a elegir. ¿Quién sabe cuándo y cómo tendrá lugar la próxima inundación? ¿El próximo incendio descontrolado? ¿Y los tornados y huracanes? Las posibilidades son, desgraciadamente, innumerables.

Mirar hacia otro lado es la mejor manera de mantenerse vulnerable a la amenaza. Por el contrario, considerar todos los escenarios y comenzar a prepararse positivamente, garantizará muchas más posibilidades de supervivencia en el futuro.

Mírelo de este modo – ¿Tiene contratada alguna póliza de seguros? ¿De salud, de vida, del hogar? Si la respuesta es afirmativa, usted es necesariamente un *prepper*. El seguro es su forma de protegerse en caso de que algo vaya mal; un patrón similar al del *prepping*. En el momento en que una persona comienza a aprovisionarse y aprender nuevas habilidades, está protegiéndose a sí misma y a su familia de una posible catástrofe que podría colapsar la sociedad.

Seguramente usted ve el telediario ¿Escucha también la radio y lee los periódicos? En tal caso, no cabe duda de que es perfectamente consciente de los, cada vez más numerosos, desastres – naturales o fruto del factor humano. El hecho fortuito de que usted no haya sido víctima de ninguno no le asegura que no lo vaya a ser en el futuro; decididamente, es una buena idea comenzar a prepararse ahora.

No es necesario retroceder mucho para remontarse a la Guerra Fría. La población, de hecho, sigue viviendo con miedo a una amenaza nuclear en la actualidad. Admitámoslo, los Estados Unidos no son precisamente un ejemplo de buenas relaciones internacionales. ¿Qué sucedería si tuviera lugar otro ataque terrorista? ¿Qué hay de los desastres naturales? ¿O acaso no podría desencadenarse una nueva pandemia mundial como la fiebre española? Las consecuencias podrían ser fatales para billones de personas, y el impacto en la economía y la sociedad sería devastador. Problemas como fallos en el suministro eléctrico, tiendas cerradas, escasez de agua y alimentos, estarían a la orden del día. El mundo, tal y como lo conocemos, podría cambiar en un momento. Podría tal vez ser mañana, el año que viene, dentro de 200 años o nunca, nadie lo sabe. Esa justamente es la esencia del *prepping*; no podemos predecir cuándo tendrá lugar el desastre, pero los *preppers* jugarán con ventaja si finalmente sucede.

6 Ideas Erróneas sobre los *Preppers*

Estos son seis de los prejuicios más comunes sobre los *preppers*:

1. Los *preppers* son paranoicos de la teoría de la conspiración.

La culpa de esta idea equivocada recae principalmente sobre la televisión. Mucha gente mantiene una postura crítica sobre los *preppers* porque los consideran unos frikis, pero la realidad es bien distinta. La verdad es que son personas sensatas y equilibradas que únicamente pretenden asegurar su supervivencia en caso de que se desate un escenario SHTF.

2. Los *preppers* son radicales que creen que el Apocalipsis va a estallar.

En absoluto. El *prepping* no gira en torno a los zombies o la caída del gobierno, sino más bien a planificar una estrategia para sobrevivir a cualquier situación adversa.

3. Los *preppers* viven aislados

Por supuesto que algunos viven en lugares tranquilos y alejados, pero también es cierto que usted podría tener un *prepper* por vecino. Cualquiera que sea su lugar de residencia, puede aprender a auto abastecerse, hacer fuego o purificar agua.

4. Los *preppers* son fanáticos de las armas de fuego.

Algunos consideran un comportamiento un tanto radical el hecho de que los *preppers* se entrenen en las armas y la defensa personal. La realidad es, sin embargo, que esto *per se* no los convierte en fanáticos de las armas. Es totalmente legítimo aprender a protegerse, siempre y cuando las armas permanezcan destinadas a ese propósito.

5. Los *preppers* viven en búnkers y se preparan constantemente.

Quizás algunos sí, pero desde luego no es lo más común. Los *preppers* son mayoritariamente gente normal viviendo vidas cotidianas.

6. Los *preppers* son gente adinerada

Se podría pensar, después de todo el *prepping* es caro ¿O no? No necesariamente. Basta con dedicar un presupuesto muy básico al mes para comenzar. Generalmente, es un proceso progresivo que comienza añadiendo algunos extras aquí y allá. No requiere de un gran desembolso y para la mayoría, no supone un cambio importante en su presupuesto habitual.

15 Ventajas del Prepping

A pesar de las numerosas razones para estar a favor de un estilo de vida *prepping*, muchos son los que creen que es una pérdida de tiempo. Vamos a analizar sus beneficios para que, ya sea que usted abrace el *prepping* o lo descarte, sepa lo que puede ofrecerle. En adición a su ventaja más reseñable – incrementar las posibilidades de supervivencia llegado el caso – se detallan a continuación, 15 excelentes razones por las que debería considerarlo:

1. Favorece el Ahorro

La supervivencia no tiene por qué ir de la mano del dispendio; por el contrario, hay cantidad de acciones que, realizadas correctamente, pueden suponer un ahorro de dinero, por ejemplo:

- Cultivar sus propios alimentos

- Reforzar la seguridad sin necesidad de recurrir a costosas alarmas

- Fabricar su equipo fitness

- Practicar el DIY

- Almacenar ocasionalmente comida deshidratada y conservas

2. Mejora el Estado Físico

El ejercicio físico, el montañismo, y una alimentación orgánica y saludable, entre otros, contribuirán a que su vitalidad se vea reforzada. Mantenerse en forma es clave, si se desea estar listo para el potencial SHTF – y para ello es necesario reducir el consumo de comida basura y empezar a consumir más vitaminas, minerales y macronutrientes.

3. Mejores Relaciones

Prepararse para el fin del mundo conlleva trabajar en equipo – es indispensable. Practicar el *prepping* puede contribuir a mejorar las relaciones entre los miembros familiares. Salir a la montaña, acampar, o incluso ver juntos programas de supervivencia son prácticas que pueden ayudar a reforzar el vínculo de la unidad familiar.

4. Potencia la Autoconfianza

En una sociedad donde predomina la dependencia de unos en otros, el *prepping* le impulsa a confiar en sí mismo, y aunque sería imposible una independencia total, puede aprender a vivir de forma autosuficiente – en mayor o menor medida, depende de usted.

5. Liderazgo

Mostrar madera de líder es una cualidad esencial cuando se trata de la supervivencia familiar. Requiere marcarse metas claras, aprender técnicas de motivación, ser capaz de mediar en la resolución de conflictos, y actuar como el responsable que todos necesitan. ¡Pero asegúrese de no convertirse en un mandón desconsiderado!

6. Refuerza la Responsabilidad

Al convertirse en *prepper,* se convierte por extensión en el responsable, no solo de sí mismo sino de la unidad familiar.

7. Posible Fuente de Ingresos Extras

Los excedentes de cultivos podrían generar un flujo de ingresos al venderlos al vecindario o en el mercado local. Paralelamente, estaría ayudando a otras personas e incluso mostrándoles técnicas de supervivencia.

Solo tenga presentes los impuestos aplicables en materia de ingresos extras, así como los requisitos para la manipulación de alimentos.

8. ¡Nunca se Volverá a Quedar sin Papel Higiénico!

Puede que le resulte divertido, y quizás no sea el mejor de los motivos para sumarse al *prepping*, ¡Pero no podría ser más cierto!

9. Reduce el Estrés

¿Qué tal si deja de lamentarse por el rumbo que está tomando la vida y dedica su energía a prepararse? Se sentirá más ligero de cargas innecesarias y también más feliz porque pase lo que pase, usted estará listo para superarlo.

10. Nuevas Aficiones

Ir de acampada, de pesca, practicar senderismo, aprender cómo hacer fuego o encontrar agua son algunos ejemplos. Podrá disfrutar de la oportunidad de cultivar sus propios alimentos, mejorar sus talentos culinarios, practicar bricolaje o DIY... Las posibilidades son infinitas.

11. Podría Salvar una Vida

Instruirse en técnicas de primeros auxilios siempre es útil y beneficioso, quién sabe si algún día usted podría poner en práctica los conocimientos adquiridos para salvar la vida de alguien que lo necesite.

12. Adiós al Aburrimiento y la Soledad

Es habitual encontrar personas que no se relacionan socialmente, ni saben cómo emplear su tiempo, y se aburren. El *prepping* es una gran ayuda en estos casos; además de asegurarse el entretenimiento con sus nuevas habilidades, podrá mejorar sus relaciones sociales uniéndose a un grupo de *preppers*.

13. Aprender a Valorar y Agradecer

Todos pecamos alguna vez de no valorar suficientemente las pequeñas cosas - una botella de agua, una manzana de su propio árbol, o alcanzar una nueva marca mientras se ejercita. ¡De las gracias!

14. El Reencuentro con la Naturaleza

¿Su día transcurre entre la oficina y el sofá de casa? Salir a practicar senderismo y acampada le devolverá el tan necesario contacto con la naturaleza, lo que le repercutirá en beneficios muy positivos.

15. Aprender a Negociar

Una de las habilidades básicas que todo *prepper* debe aprender es la de realizar trueques - sin duda una forma de negociación. Cuanto antes comience a practicar el trueque, antes empezará a mejorar sus capacidades para realizar intercambios exitosos.

Ahora que ya hemos repasado cuáles son las principales ventajas de iniciarse en el *prepping*, le animo a seguir leyendo para descubrir otras cosas que le serán de gran ayuda.

21 Datos que Necesita Descubrir Pre-*Prepping*

Mucha gente incurre en típicos errores de novatos en sus primeros contactos con el *prepping*. La mayoría se apresura, sin detenerse a reflexionar y planear las cosas con la debida tranquilidad; otros, sin embargo, carecen de la información adecuada. Para evitar estos errores, vamos a enumerar los 21 datos que necesita conocer antes de comenzar el *prepping* – y evitar así desperdiciar su tiempo, energía y dinero.

1. Viva por Debajo de sus Posibilidades

Olvídese de financiar una gran compra para adquirir todos los suministros *prepping* de una vez – céntrese en hacer que sus facturas se reduzcan y sus ahorros se vean aumentados.

2. Planifique sus Compras

Sea paciente y astuto a la hora de equiparse para practicar el *prepping*. Podría sentir la necesidad de adquirir inmediatamente ese artículo de supervivencia que tanto ansía, sin embargo, debería meditarlo bien y comparar ofertas – lo agradecerá cuando encuentre un mejor precio, o simplemente descubra que ya cuenta en su poder con el sustituto perfecto.

3. Comience a Almacenar Agua

El agua es, con diferencia, mucho más indispensable que la comida – contar únicamente con unos pocos litros no le servirá de mucho. Empiece ahora a aprovisionarse. No es necesario gastar una fortuna en agua embotellada; recoja su propia agua y almacénela de forma segura dentro de barriles y contenedores plegables en su sótano o garaje – envasada correctamente, puede almacenarse a largo plazo.

4. Evite las Viejas Garrafas de Leche para el Envasado de Agua

A primera vista podría parecer una idea muy útil, pero nada más lejos. Es imposible eliminar por completo los residuos de leche, lo que podría conducir a una colonización de bacterias perjudiciales. Además, el plástico de la garrafa podría deteriorarse con el paso del tiempo, generando un enorme desorden que usted no necesita.

5. Compre Solo la Comida que Vaya a Consumir

Quizás encontró una auténtica ganga en un pack gigante de espinacas enlatadas, pero si nadie las va a consumir es simplemente una pérdida incongruente de preciosos recursos limitados – su tiempo, dinero, y espacio. Por supuesto, manténgase atento a las ofertas, pero no desperdicie su tiempo y dinero en aquello que no es útil.

6. Alterne Comida Envasada Con Otros Alimentos

Es una idea común pensar que, cuando se trata de almacenar, la única posibilidad viene de la mano de los alimentos en conservas. Error – necesita contar con alimentos variados, incluyendo conservas, alimentos liofilizados, y secos que le aseguren una dieta equilibrada y diversa, para no caer en el aburrimiento. Como colofón, las conservas son ricas en sodio, nada beneficioso para la salud si se consume en exceso.

7. Asegúrese unas Estanterías Robustas

Los tableros de aglomerado y similares pueden parecerle una opción práctica y económica, pero tenga en cuenta que carecen de la robustez necesaria para el almacenaje que el *prepping* requiere. Por el contrario, las estanterías galvanizadas o las fabricadas por usted mismo con materiales adecuados – baldas de madera maciza o metálicas, son una perfecta alternativa.

8. Diversifique los Lugares de Almacenamiento

Un desafortunado incidente podría acabar por completo con todas sus provisiones de alimentos y demás enseres. Mantenga sus alimentos y agua almacenados en diferentes lugares clave, asegúrese de que cuenta con una mochila de emergencia a mano en todo momento (y cada una en un vehículo), y disponga asimismo de algunas provisiones en su refugio de emergencia.

9. Entrene sus Habilidades

Adquirir las habilidades y conocimientos necesarios le conducirá a la supervivencia, llegado el momento. Como en cualquier disciplina, la práctica hace al maestro; encontrará un listado con habilidades específicas al final de esta sección.

10. Recuerde que la Higiene es Clave

Almacenar jabón y papel higiénico es tan importante como el aprovisionamiento de agua y alimentos. La limpieza personal juega un papel indispensable para evitar contraer enfermedades – no hace falta mencionar que lo último que usted querría en una situación de supervivencia es caer enfermo, especialmente si consideramos que los hospitales podrían estar saturados, o incluso no operativos.

11. Incluya las Necesidades Especiales

Podría haber personas que requieran de silla de ruedas, oxígeno, insulina, etc. Asegúrese de disponer también de estos materiales.

12. No se olvide de sus Mascotas

Ante una situación de emergencia, en lo que respecta a las mascotas, usted se enfrentará a dos posibilidades – abandonarlos o salvarlos. La gran mayoría opta por la última, pero tenga en mente tomar la decisión hoy. Necesitará incluirlos en sus cálculos de provisiones de agua, y almacenar comida y productos específicos para ellos.

13. Fomente la participación de su Familia

Su familia es su equipo; esto no significa que todos los miembros deban mostrar el mismo interés, pero sí es necesario cierto nivel de compromiso, conocimiento y práctica desde el principio.

14. No Revele sus Planes Abiertamente

No es necesario compartir públicamente sus avances o el stock del que dispone. Piense que, ante el SHTF, podría encontrarse con un vecindario entero clamando su ayuda; no podría ocuparse del bienestar de tantas personas, aunque quisiera. Mantenga sus planes en su círculo de confianza.

15. Estar en Forma es Esencial

Manténgase en buen estado físico porque de lo contrario, llegado el caso de una hecatombe, acabaría completamente agotado el primer día. Visualice largas caminatas, transportando provisiones, arreglando desperfectos... ¿Duro verdad? Debería comenzar a cuidar su forma física ahora. Es más sencillo de lo que imagina, puede comenzar simplemente por salir a caminar a paso ligero durante 30 minutos al día.

16. No Confíe en que las Armas le Mantendrán a Salvo

Es cierto que debería asegurarse de tener las armas y munición necesarias, pero no es menos cierto que debería evitar la confrontación a toda costa. Llegado el momento, procure ser sigiloso y no llamar la atención; las armas no pueden asegurarle inmunidad contra otras personas armadas.

17. Configure un Plan de Vuelta a Casa

La catástrofe podría tener lugar en el momento más inesperado. Hay muchas posibilidades de que no se encuentre en casa en ese momento, y debería contar con un plan trazado para tal propósito o, en su defecto, un plan para reunirse con su familia en un lugar seguro.

18. No De Nada por Sentado

Unos podrían elaborar sus planes basándose en la suposición de salir huyendo, mientras otros están convencidos de que permanecerán en sus hogares – y se preparan en consecuencia. La verdad es que no puede anticiparse a lo que sucederá, pero sí puede tener varios planes que cubran cada una de las posibilidades.

19. Compruebe el Estado de sus Herramientas

Asumir sin certeza que las herramientas funcionan correctamente no es una buena idea – asegúrese. Almacenar una docena de herramientas similares tampoco es una buena idea – priorice, cuanto mayor el número de herramientas, más pesada será la carga que necesitará transportar.

20. Paso a Paso

Muchos proyectos DIY requieren de tiempo y conocimientos técnicos, ármese de paciencia. No se apresure, tómese su tiempo para avanzar, sino podría correr el riesgo de acabar frustrado y cansado. Paso a paso se llega lejos.

21. El Fin del Mundo no Sucederá Mañana

En realidad, nadie lo sabe, pero es estadísticamente probable que usted advierta alguna señal previamente. El problema es que hay *preppers* que comienzan a interiorizar esta idea y se asustan – con las consecuentes decisiones desacertadas. La esencia es estar siempre preparado, pero disfrutar de las experiencias que la vida nos ofrece. Si se centra demasiado en sus planes para el SHTF, hay muchas posibilidades de que se pierda las cosas interesantes que se le presenten. Además, tenga en cuenta que existe la posibilidad de que el fin del mundo finalmente no suceda.

Kit de Iniciación al *Prepping*

En este punto descubrirá qué elementos son indispensables a la hora de construir un Kit de Supervivencia personal. A continuación, se detalla una lista con los diez elementos que debería incluir sin excepción; considere planificar provisiones para un mínimo de entre dos a cuatro semanas, incluso cuando las recomendaciones generales se enfoquen a 72 horas.

Agua

No es casualidad que este elemento encabece la lista; como norma general, una persona puede subsistir al menos tres semanas sin ingerir alimento alguno, o ingiriendo pequeñas cantidades, sin embargo, el agua es un tema aparte. Dependiendo de las condiciones, la supervivencia sin agua se estima entre tres y cuatro días, siendo generosos. ¿Alguna duda de por qué el agua debería ser el *top one* entre sus provisiones?

Almacene como mínimo un galón – alrededor de 4 litros – por persona y día. En el supuesto de preparar provisiones para cuatro personas debería contar con 28 galones por semana (56 para dos semanas y 112 para cuatro). Tenga en mente que necesitará el agua no solo para beber, sino también para cocinar, lavar, etc. En el caso de contar con mascotas en su hogar, asegúrese de incluirlas en sus cálculos a razón de 2 galones por día.

Puede comenzar por comprar agua en el supermercado, pero si su planificación se orienta a largo plazo debería plantearse adquirir contenedores de plástico de varios tamaños. Deberá contar también con pastillas purificadoras de agua y una filtradora de agua portátil, por si fuese necesario recoger agua del exterior. Esto último es sumamente importante, debido al potencial riesgo de ingerir bacterias y otros microbios de aguas no potables – sentirse enfermo mientras intenta sobrevivir en condiciones adversas no es recomendable. Otra posibilidad es usar lejía (no perfumada) para potabilizar el agua, a razón de dos gotas por litro.

Alimentos

El siguiente elemento por orden de importancia es la comida, y siguiendo la pauta, planifique sus provisiones para un periodo de entre dos y cuatro semanas. Puede comenzar almacenando alimentos en conserva – sopas, carnes, frutas, y verduras, pero preste especial atención a la fecha de caducidad y a posibles abolladuras. Es recomendable, de igual modo, almacenar alimentos secos, como arroz, pasta, avena, harina, lentejas, y judías. Intente mantenerlos en envases herméticos, especialmente la harina, ya que podría echarse a perder fácilmente en caso contrario. Procurar esta técnica de almacenaje le asegurará también que su comida estará a salvo de roedores e insectos indeseables.

Sopese hacer acopio de azúcar, sal, aceite de oliva o de coco, queso en conserva y mantequilla, huevos y leche en polvo, incluso café y té. Otra propuesta interesante sería comprar platos preparados, así como alimentos deshidratados y liofilizados. Un ejemplo de aprovisionamiento adecuado para dos semanas sería como sigue:

- 20 libras de judías (frijoles)
- 20 libras de arroz

- 20 latas de fruta

- 20 latas de verduras

- 20 latas de carne

- 2 envases grandes de mantequilla de cacahuete

- 2 paquetes grandes de harina

- 1 paquete de azúcar

- 1 paquete de sal*

- 1 libra de avena

- 1 galón de aceite de oliva o de coco

*Tenga en consideración que la sal puede serle útil para conservar carnes y pescados, almacene tanta como le sea posible.

Por supuesto, esto es únicamente una idea, puede modificar la lista adaptándola a los alimentos que más se consumen en su hogar.

Procure mantener una dieta equilibrada en carbohidratos, grasas, y proteínas, y no olvide tener a mano un complemento vitamínico.

Primeros Auxilios

Se tiende a dar por sentado que los servicios de emergencia estarán garantizados, tanto es así que la gran mayoría se olvida de aprovisionarse en términos de primeros auxilios. En una situación SHTF, necesitará indudablemente estos elementos – la única pregunta ahora es si elegirá el kit de botiquín básico o una versión más completa.

Para comenzar por lo más elemental, sería buena idea que usted y todos los miembros de su grupo *prepper* realicen un curso de primeros auxilios. Comprar un manual sobre medicina de supervivencia y familiarizarse con él también debería entrar en sus planes. Si lo desea, puede adquirir online su botiquín, o también podría optar por conformarlo usted mismo según sus preferencias. Al final de este capítulo, puede encontrar una lista con todo lo necesario, pero como anotación, necesitará básicamente vendas, apósitos, guantes esterilizados, pinzas, pomadas con efecto antibiótico y antibacteriano, y otros fármacos de venta libre.

Si toma medicamentos con receta médica, asegúrese de visitar a su doctor y contar con unidades de sobra en casa, y en caso de ser asmático cuente con suficientes inhaladores.

Téngalo presente; los servicios de emergencia no darán a basto, y se centrarán sobre todo en las áreas más afectadas, lo que hace más que posible que no lleguen hasta usted rápidamente, en caso de que lleguen.

Higiene

Una higiene adecuada es realmente importante en una situación de emergencia, más aún en un escenario sin agua corriente ni electricidad. La falta de higiene puede acarrear la aparición de enfermedades, circunstancia que debería evitar a toda costa.

Se pueden presentar diferentes casos; si su hogar cuenta con saneamientos con sistema séptico, que suele ser el caso en zonas rurales o periféricas, puede usar su baño con normalidad. Si no hubiera suministro de agua, bastaría con llenar la cisterna manualmente.

Si su hogar no cuenta con sistema séptico, lo primero que debe hacer es comprobar que el alcantarillado está funcionando apropiadamente – de no ser así NO tire de la cisterna bajo ningún concepto, podría provocar que el agua suba por las tuberías y comience a salir por la bañera, lavabo...

En caso de no disponer de agua corriente, o se haya trasladado a su puesto de emergencia sin el consiguiente suministro, hay un par de consejos que pueden facilitarle las cosas. Un cubo de 5 galones de capacidad con doble bolsa de basura reforzada puede hacer las veces de retrete – incluso puede acoplarle un asiento de inodoro si lo desea. Después de cada uso, arroje un puñado generoso de arena para gatos o tierra. Cuando la bolsa se encuentre llena en dos tercios de su volumen, cúbrala con arena de gato o tierra y haga un nudo. Déjela en un lugar apartado dentro de un contenedor hermético o llévela lejos de su situación (200 pies como mínimo), cave un hoyo, y vacíe el contenido de la bolsa en su interior.

Opcionalmente, si lo que necesita es una solución provisional a corto plazo, puede cavar pequeños agujeros en la tierra, siempre lejos de su zona habitada, y asegurarse de que estén bien sellados al finalizar.

Confirme que dispone de bastante jabón antibacteriano, gel higienizante, y papel higiénico biodegradable, así como una cantidad adecuada de toallitas húmedas.

Cocinar

Una vez aseguradas las provisiones de alimentos, vamos a abordar la forma de prepararlos, ya que en muchos casos deberán ser cocinados. En la mayoría de las situaciones de emergencia, el primer suministro en caer es el eléctrico, y hay muchas posibilidades de que no se restablezca hasta pasadas semanas o incluso meses. Además de la electricidad, el suministro de gas natural puede verse afectado también.

Lo que necesitará va a depender fundamentalmente de si permanece en su hogar durante el SHTF o no. En el primer escenario podría valerse de una barbacoa de propano (seguramente tenga una en su jardín) o un *camping gas* – necesitará combustible para ambas opciones. Otra posibilidad consiste en tener a mano barbacoas desechables para preparar un almuerzo rápido.

Si no va a permanecer en casa, podría llevar consigo un hornillo tipo *camping gas* o prender un fuego cuando sea necesario. En ambos supuestos va a necesitar utensilios de cocina, mejor si son duraderos y de una calidad decente – ya dispone de ellos en su cocina, pero piense ¿realmente desea cargar con una pesada sartén de hierro fundido en su escapada de emergencia?

Compre sartenes y cazos de acero inoxidable, platos de acero inoxidable o de aluminio (también podría usar platos desechables) y cubiertos de calidad. Cabe la posibilidad de comprar kits que incluyen todo lo mencionado, o fabricar uno usted mismo. Deberá manejar también un abrelatas manual, un abridor de botellas, cantidad suficiente de cerillas, y papel de aluminio, así como bolsas de plástico para deshacerse de sobras y basura.

Y no se deje llevar por los artículos más baratos o que primero le llamen la atención – compare, lea opiniones, y sea consciente de lo que desea adquirir.

Energía

El primer elemento indispensable es una buena linterna, una para cada miembro del grupo. Las de uso militar o policial son una opción deseable ya que proyectan un potente haz de luz, y algunos modelos disponen de la opción ráfaga SOS. Añada a la lista una cantidad generosa de pilas, suficiente para varias semanas. Como alternativa, compre pilas recargables. También debería tener a mano un par de linternas dinamo; no poseen tanta potencia, pero no requieren de pilas y podrían ser útiles en una situación de emergencia.

Si permaneciera en casa, un generador portátil es la mejor alternativa – podría adquirir un generador a gas, para el cual necesitaría disponer de gasolina, o podría decantarse por un generador solar. También puede comprar baterías externas, que ayudan a disminuir el tiempo de carga.

Efectivo

En medio de un escenario SHTF la persona que dispone de dinero en efectivo es el rey; Con *cash* se puede obtener casi cualquier cosa. Empiece a guardar billetes pequeños; procure unos 1.000 dólares como mínimo, aunque esto dependerá ciertamente de cuántas personas haya en su grupo de supervivencia. La razón por la que debería apostar por billetes pequeños es doble: en primer lugar, es poco probable que haya efectivo disponible para darle el cambio y, en segundo lugar, si necesita realizar un trueque, utilizar billetes grandes le llevaría seguramente a pagar de más. Por otra parte, no está de más dejar que la gente piense que solo tiene unos pocos dólares de sobra.

Mantenga su efectivo a buen recaudo. Para comenzar, no lo guarde todo en un mismo sitio. Divídalo en cantidades similares y escóndalo en lugares distintos – manteniéndolo siempre a salvo, lejos de la vista. Algunos optan por enterrar su dinero, envolviéndolo previamente en varias bolsas de plástico, para alejarlo de la humedad. Es una buena idea, siempre y cuando recuerde su posición exacta.

Sea consciente de que, durante las emergencias, los hogares son el objetivo preferido de los saqueadores – es por ello que necesitará guardar su dinero bien seguro. Sea imaginativo ¡Pero asegúrese de recordar dónde se encuentra!

Comunicaciones

La comunicación es un factor importante en una situación de emergencia. Es bastante probable que la red telefónica fija caiga, y también puede ocurrir que su móvil presente problemas de cobertura. Necesitará, pese a ello, mantener contacto con personas que se encuentren en su misma situación y escuchar las noticias.

Lo que necesita, como mínimo, es disponer de walkie talkies, preferiblemente uno para cada miembro del grupo o varias estaciones emisoras de radio con capacidad de mantenerse operativas. Habitualmente, funcionan con pilas o baterías, así que asegúrese de tenerlas a mano. También debería contar con una radio, ya sea eléctrica o de cuerda. Así se asegurará mantenerse al día en cualquier novedad acerca de la situación y tendrá constancia de las posibles ayudas de emergencia disponibles.

Vale la pena matizar que, aunque está prohibido transmitir en frecuencia de radioaficionado, se considera legal en tiempos de emergencia.

Desplazamientos

El transporte es, de igual modo, un factor importante. Si se viera obligado a evacuar su hogar para refugiarse en un sitio más seguro, debería estar seguro de disponer de combustible suficiente para permitirle llegar al nuevo destino. En el caso de que las circunstancias no permitan desplazarse libremente, tendrá que decidir entre permanecer en su hogar o marcharse. La mayoría de las veces, permanecer en su lugar no será una alternativa – no habrá suministro de luz, agua y gas, sin mencionar que los efectos de la catástrofe podrían provocar daños en su domicilio, lo que le conducirá necesariamente a la evacuación.

En ese punto, necesitará su mochila de emergencia, que de base debería incluir un refugio de emergencia, agua, comida, y elementos de protección personal. En la tercera parte de esta guía podrá encontrar más detalles acerca de la mochila de emergencia, pero de momento, esto es en líneas generales, lo que debe incluir – y cada miembro del grupo debe contar con su propia mochila:

- Tienda de campaña
- Saco de dormir
- Manta isotérmica
- Botella de agua (o bolsa)
- Filtro de agua portátil
- Raciones de comida
- Guantes
- Abrigo
- Una muda de ropa
- Gorro de lana

- Cerillas
- Linterna
- Linterna frontal
- Botiquín de primeros auxilios básico
- Mapa del área
- Brújula
- Mini pala
- Hacha
- Paracord (pulsera de supervivencia de nylon)
- Navaja multiusos
- Cuchillo
- Spray de pimienta
- Cargador – Solar o eléctrico
- Silbato
- Gafas protectoras
- Copias de documentos importantes
- Pasaporte
- Títulos y contratos
- Libreta de direcciones
- Plan de acción familiar para emergencias
- Al menos 500 dólares – billetes pequeños
- Medicamentos con receta médica
- Espejo pequeño

Autoprotección

Tanto si el plan es permanecer en el hogar como evacuar, estar protegidos es vital. En escenarios de emergencia, cualquier cosa por descabellada que parezca puede ocurrir, y no olvide que la mayoría de personas solo estarán preparadas para hacer frente a la nueva situación un par de días – algo bastante lógico considerando que las autoridades habitualmente recomiendan tener un plan para 72 horas. Pero es bien sabido que la mayoría de los desastres acarrean tiempos superiores a este, y por lo tanto es importante contar con una previsión a largo plazo.

Cuando las condiciones se endurezcan, la gente no dudará en hacer cualquier cosa para sobrevivir, y eso significa cualquier cosa, incluso atacarle para obtener lo que usted tiene y ellos necesitan. Tampoco se lo pensarán dos veces a la hora de agredirle, téngalo en mente. Si su idea es quedarse en casa, hay varias cosas que puede llevar a cabo para garantizar su seguridad – asegúrese un cercado alto alrededor de su propiedad, posicione obstáculos que entorpezcan el avance de posibles amenazas, disponga pestillos en todas las puertas y ventanas, etc. Sin embargo, en caso de que alguien logre burlar estas medidas, o en caso de evacuar su hogar, necesitará contar con un plan de protección y defensa.

Debería tener algunas armas a mano. Como mínimo, considere disponer de algunas armas de fuego y/o pistolas tipo Taser. Las pistolas paralizadoras por electrochoque requieren contacto directo con su atacante, no obstante, las Tasers pueden funcionar a distancia – mientras que la mayoría de las Tasers no cuentan con una potencia que requiera de un permiso especial, debería consultar las regulaciones legales en su área. Dicho lo cual, es bastante seguro afirmar que la mayoría de la gente no se preocupa por temas legales en un escenario apocalíptico...

El spray de pimienta es una de las armas más efectivas – es fácil de ocultar, ligero, y su uso es sencillo. Las navajas también pueden ocultarse fácilmente, pero una vez más, a menos que tenga mucha confianza en su puntería, deberá mantener un combate cuerpo a cuerpo con su atacante.

Y después están las pistolas. No todo el mundo se encuentra cómodo portando un arma de fuego, pero en ocasiones la situación puede requerirlo. Puede plantearse contar con una escopeta del calibre 12 a mano, así mismo una pistola, y bastante munición. Vaya sobre seguro y entrénese en su uso; hay un vasto registro de armas que puede aprender a manejar.

Las artes marciales pueden ser motivo de burla para algunos, pero su eje de existencia es precisamente la defensa personal. Una a considerar especialmente es el Krav Maga, pero depende únicamente de usted, puede optar asimismo por el Judo, Taekwondo, o Karate - todas son buenas opciones.

OPSEC o Seguridad Operacional

Esta temática podría considerarse dentro de la defensa personal, pero es mejor darle un trato específico. Las siglas OPSEC se originan del inglés Operations Security (Seguridad Operacional), y alude a la idea de mantener su información acotada al círculo más estricto. Evite hacer partícipes de sus planes a todos y cada uno. No comparta detalles acerca de sus provisiones porque en caso de que el SHTF finalmente estalle y los recursos comiencen a escasear, tendrá a todas esas personas en su puerta, dispuestas a que comparta con ellos lo que tanto tiempo y dinero le costó conseguir.

Por el contrario, existe otra corriente de pensamiento que defiende la libertad de compartir abiertamente su estilo de vida *prepping*. No hay nada malo en reunir a sus vecinos y hacerles conocedores de lo que significa ser un *prepper* y la necesidad de comenzar a aplicar esta mentalidad. Desde luego la población necesita educarse más en este ámbito, pero siempre tenga en mente que no es necesario airear donde guarda su comida, dinero, armas, o donde se ubica su refugio de emergencia, etc.

La cuestión es que, incluso manteniéndolo totalmente en secreto, o en su entorno familiar, otras personas van a percibir que algo especial sucede. Por ejemplo, si haciendo la compra en el supermercado se encuentra con un descuento en paquetes de 5 libras de judías y arroz, o la harina tiene una oferta 2x1, puede pensar que es una buena idea aprovechar para comprar estos productos de su lista de provisiones. ¿Pero cree que va a pasar desapercibido con 6 libras de harina y 20 libras de judías y arroz? ¿Y qué pasará cuando el mensajero de UPS empiece a dejar numerosos bultos en su puerta? ¿Cree que nadie lo notará?

Mantenga las cosas tan discretas como le sea posible, pero sea honesto.

Lista de Supervivencia Prepping

No es estrictamente necesario contar con todo lo que se muestra en esta lista – básicamente dependerá de las circunstancias en su caso particular. Aplique la lógica, sea sensato, y recuerde: Puede que se vea en la necesidad de desplazarse a pie lejos de su área; ¿de verdad quiere cargar media tonelada de cosas durante kilómetros?

Agua

- Como mínimo 1 galón por persona y día, preferiblemente más

- Filtros de agua portátiles

- Pastillas purificadoras

- Lejía común (sin perfume), 8.25% hipoclorito de sodio

- Un recurso para hervir agua – camping gas y bombona de gas, cerillas

Alimentos

Estas son cantidades mínimas para dos semanas:

- 20 libras de arroz

- 20 libras de judías (frijoles)

- 20 latas de verduras
- 20 latas de fruta
- 20 latas de carne
- 2 paquetes grandes de harina
- 1 paquete de azúcar
- 1 paquete de sal
- 1 libra de avena
- 1 galón de aceite de oliva o de coco

Otros alimentos:

- Alimentos liofilizados
- Alimentos deshidratados
- Café
- Té
- Leche en polvo
- Huevos en polvo
- Queso en conserva
- Mantequilla en conserva
- Puré de patatas instantáneo
- Pasta
- Sopas en lata o en polvo

Primeros Auxilios

- Botiquín o bolsa de primeros auxilios – impermeable y ligera
- Manual de medicina de supervivencia/primeros auxilios
- Pinzas
- Termómetros de infrarrojos

- Bastoncillos antibacterianos
- Tijeras de trauma grandes
- Cortauñas quirúrgico
- Bisturí y hojas de repuesto
- Estetoscopio
- Apósitos protectores de ampollas
- Tiritas – varios tamaños
- Guantes esterilizados
- Gasas estériles – varios tamaños
- Toallitas con alcohol
- Vendas – varios tamaños
- Vendas triangulares
- Máscara de bolsillo para RCP
- Puntos de aproximación
- Férula moldeable
- Yodo
- Torniquete
- Protección solar
- Repelente de insectos
- Crema o gel para quemaduras
- Medicamentos y ungüentos
- Crema antibiótica
- Hidrocortisona
- Crema antimicótica
- Jabón antibacteriano
- Ibuprofeno
- Paracetamol

- Tylenol
- Sudafed (o similar)
- Crema y pastillas antihistamínicas
- Imodium (o similar)
- Pastillas para la garganta
- Suero oral
- Medicamentos con receta
- Inhaladores de asma
- Multivitaminas

Higiene

- Un cubo de 5 galones
- Bolsas de basura reforzadas
- Contenedor hermético
- Arena para gatos
- Spray desinfectante
- Jabón antibacteriano
- Gel desinfectante para manos
- Toallitas húmedas
- Papel higiénico biodegradable

Cocinar

- Hornillo tipo camping gas
- Bombona de gas
- Sartenes y ollas de acero inoxidable
- Utensilios de cocina – cuchillos, tenedores, cucharas, etc.
- Platos (papel de aluminio/acero inoxidable/desechables)

- Barbacoas desechables
- Abrelatas (manual)
- Abridor de botellas
- Bolsas de basura
- Cerillas
- Leña
- Energía
- Linternas - una por persona
- Pilas de repuesto - normales y/o recargables
- Batería externa
- Generador portátil - solar o de gasolina
- Gasolina - si opta por este tipo de generador
- Linternas dinamo

Efectivo

- Al menos 1.000 dólares en billetes pequeños
- Bolsas de plástico/Contenedores de almacenaje

Comunicaciones

- Walkie Talkies o radios de aficionados - una cada miembro del grupo
- Pilas de repuesto
- Batería o radio de cuerda

Desplazamientos

- Tienda de campaña
- Saco de dormir
- Bolsa isotérmica
- Botella o bolsa de agua
- Filtro portátil

- Raciones de comida
- Guantes
- Abrigo
- Una muda
- Gorro de lana
- Cerillas
- Linternas
- Linterna frontal
- Kit básico de primeros auxilios
- Mapa de la zona
- Brújula
- Mini pala
- Hacha
- Pulsera de nylon de supervivencia
- Navaja multiusos
- Cuchillo
- Spray de pimienta
- Cargador – solar o de batería
- Silbato
- Gafas de protección
- Copias de sus documentos importantes
- Pasaporte
- Títulos y contratos
- Libreta de direcciones
- Plan de acción familiar para emergencias
- Al menos 500 dólares – en billetes pequeños
- Medicamentos con receta médica

- Espejo pequeño

Defensa personal

- Escopeta
- Pistola
- Munición
- Spray de pimienta
- Cuchillo
- Pistola Taser
- Pistola de electrochoque

Aprovisionarse Con Sentido Común: Artículos En Los Que NO Vale la Pena Invertir

Para algunos, aquellos afortunados que gozan de una gran estabilidad económica, el *prepping* es coser y cantar, pero la cuestión se complica para los que no disponen de capacidad de ahorro todos los meses. Casi todos hemos pasado apuros económicos en alguna ocasión, y algunos aún los sufren. Es bien sabido que, cuando llega el tiempo de las vacas flacas, hay que empezar a recortar gastos, y el *prepping* es algo que se verá afectado por estos recortes – muchos *preppers* han tenido que poner fin a sus planes y comenzar a consumir sus provisiones, para sobrevivir. Disponer de esa reserva de alimentos puede ser una verdadera bendición, pero no durará eternamente, y en algún momento habrá que comenzar de nuevo.

Lo primero que debería tener en mente es que el *prepping* no es necesariamente caro, y hay cantidad de ideas que puede aplicar sin realizar ningún gasto; únicamente debe interiorizar que nunca hay que desperdiciar lo que pueda serle útil más tarde. Aplicar esta mentalidad no siempre es fácil, sin embargo, esbozar un plan apropiado facilita mucho las cosas.

Algo que podría poner en práctica, y le ayudaría a reducir su presupuesto para la compra de alimentación, es comenzar a aprovechar hasta el último trozo de comida. El problema radica en que la mayoría de la gente no está dispuesta a repetir el menú día tras día, pero existe otra posibilidad. Las sobras son, de hecho, comida que puede incluir de forma gratuita en sus reservas de supervivencia, y puede hacerlo de distintas formas:

● Deshidrate las sobras de judías, pasta, y arroz

Habitualmente estos alimentos se cocinan en grandes cantidades, y las sobras terminan en la basura. No lo haga. Deshidrátelos y cuando necesite cocinar un plato, lo único que tendrá que hacer es rehidratar por unos minutos en agua hirviendo. Una vez deshidratados, enváselos al vacío para su mejor conservación.

● Carnes

¿Cocinó demasiado chili o boloñesa? Puede conservar las sobras en un tarro al vacío, pero asegúrese de usar una técnica segura. Si no tiene una cantidad suficiente para envasarla, consérvela en el congelador hasta que reúna bastante como para envasar el lote completo.

● Deshidratar el pan

Si le sobra pan, en lugar de tirarlo, deshidrátelo y conviértalo en una mezcla de relleno instantánea (consulte internet; hay multitud de recetas distintas) o incluso en pan rallado para empanar pescados, carnes, etc.

● Obtener comida gratis

Es posible. Solo hay que acumular suficientes cupones descuento. Podrá conseguir muchas muestras y, en algunos casos, podrían incluso pagarle para probarlas en casa. No se pase; seleccione solo aquello que pueda almacenar a largo plazo. Hay cursos especializados en cupones descuento donde puede aprender cómo sacarles el máximo provecho.

- **Fruta gratis**

La mayoría de los jardines tienen árboles frutales, y en muchos casos la fruta se pudre. No se apure por preguntar si puede coger algunas piezas. Puede ofrecerse a pagarlas, pero la mayoría de las ocasiones la gente le responderá que no es necesario. ¿Y qué hacer con la fruta? Conviértala en mermeladas, gelatinas, envásela al vacío, o incluso deshidrátela.

- **Muestras gratuitas de alimentos**

Muchas marcas de comida envasada estarían dispuestas a enviarle muestras a su hogar para invitarle a probarlas y convertirle en un futuro cliente. Puede incluir estas muestras en su mochila de emergencia o como parte de su kit de comida de emergencia.

- **Guarde los paquetes monodosis de condimentos**

Cuando pida comida para llevar o acuda a un restaurante de comida rápida, coja algunos sobres monodosis de condimentos. Serán un buen complemento para sus menús, pero tenga en cuenta su fecha de caducidad; deberá reemplazarlos anualmente.

- **Guarde las botellas de plástico**

No gaste su dinero en comprar agua embotellada. Guarde las botellas de distintas bebidas, límpielas bien, y rellénelas con agua del grifo. La única excepción son las botellas de leche, ya que los residuos de esta contaminan el agua.

Hogar y Huerto

Los cupones descuento también pueden contribuir aquí; acumule cupones para artículos de tocador, papel higiénico, cepillos de dientes, pasta de dientes, maquinillas de afeitar y otros artículos para el hogar; puede obtener una gran cantidad de estos de forma gratuita. Y cuando visite al dentista, pida muestras gratis.

● Guarde las semillas

Ya sean semillas de las revistas o de sus propias plantas, enváselas al vacío, y guárdelas en un lugar fresco y lejos de la luz. De esta forma, podrá cultivar sus propios vegetales cuando la necesidad lo requiera.

● Cultive plantas nuevas a partir de las raíces

Cuando compre verduras o consuma las suyas propias, puede cultivarlas de nuevo a través de las raíces. Apio, lechuga, cebollas, incluso piñas, y otras muchas verduras y frutas se pueden volver a cultivar de esta forma. Corte el extremo de la raíz y póngalas en agua hasta que vea crecer nuevas raíces y/o vea brotes en la parte superior. Luego simplemente, plante estas nuevas raíces o brotes. Si escalona su crecimiento, puede tener un ciclo casi interminable de comida gratis.

● Plantas gratuitas

Consulte a sus vecinos la posibilidad de obtener algunos esquejes o raíces de sus plantas, concretamente las comestibles. Puede que incluso le sorprendan regalándole una planta entera. Únicamente deberá plantarlas y disfrutar de sus frutos. Y si tiene algunas plantas de sobra, siempre puede compartirlas o incluso intercambiarlas con vecinos.

● Mantillo y abono gratis

Muchos agricultores o su ayuntamiento local podrían ofrecerle abono y mantillo gratis, pero tenga especial cuidado – podría estar lleno de insectos y plagas ¡Algo potencialmente destructivo en su huerto!

● Recolecte piñas

Son excelentes para iniciar fogatas, arden realmente rápido y desprenden mucho calor. Recoléctelas cuando caen al suelo durante el otoño y manténgalas en un lugar fresco y seco.

- Sacos de arena gratuitos

Si existe riesgo de inundaciones, su corporación local podría repartir gratuitamente sacos de arena. Sea rápido en recogerlos porque tienden a desaparecer pronto, pero serán una gran incorporación a sus provisiones *prepping*, especialmente para la temporada de huracanes.

Estanterías y Mobiliario

Manténgase atento a las webs de anuncios, webs de intercambio de artículos (tipo Freecycle), y a los muebles que algunas personas dejan deliberadamente fuera para que otros puedan recogerlos. Se sorprendería de lo que puede encontrar gratis.

Provisiones para *Preppers*

- Cubos gratis

Puede conseguirlos en cocinas industriales; algunas veces le cobrarán una cantidad simbólica, pero en la mayoría de los casos, si comprueba sus contenedores de basura, los encontrará gratis. Puede pedir permiso para tomarlos, normalmente no tendrá problemas. También puede preguntar en panaderías, restaurantes de comida rápida y charcuterías.

- Latas de palomitas

Las latas de palomitas gigantes (3-5 galones de capacidad) son perfectos contenedores para su almacenaje. Son a prueba de ratas y ratones, y podrá almacenar una gran cantidad de comida envasada en ellos.

- Pilas, lonas, linternas, etc.

En algunas tiendas le regalarán estos artículos sin necesidad de compra, aunque, a decir verdad, la mayoría de las veces necesitará comprar algún producto adicional. Aún con ello, sigue siendo una interesante propuesta para ahorrar ya que obtendrá gratuitamente productos que de otra forma estaría pagando.

- **Muestras gratis**

Ya se ha mencionado anteriormente, no deje de estar atento a los anuncios de Internet que ofrecen regalos, como linternas pequeñas, navajas multiusos, pulseras de paracord, etc., sobre todo en sitios web especializados en supervivencia. Otra forma es hacer una *review* honesta sobre un producto y que la marca se lo agradezca con un cupón descuento; esto tiende a funcionar mejor con los grandes fabricantes.

- **Información y libros gratis**

Visite la *app store* de kindle para obtener libros gratis. No serán tan detallados como esta guía, pero encontrará libros cortos de cocina de supervivencia, primeros auxilios, etc.

Éstas pueden parecer pequeñas cosas sin importancia, pero todo suma. De hecho, no es necesario tener grandes ahorros para comenzar a practicar el *prepping*; se pueden obtener bastantes cosas de forma gratuita si se sabe dónde buscar, y con este sencillo gesto contribuirá a reducir el gasto en casa. Su huerto puede ser una generosa fuente de alimentos también. ¡Es fácil cultivar verduras!

31 Habilidades Básicas Para el *Prepping*

Cada *prepper* y cada *survivalist* tiene una lista personal de habilidades que desea dominar, además de todas las tareas de las que debe ocuparse. Ser un *prepper* no siempre es fácil, pero aprender ciertas habilidades le servirá – no solo ante una situación de supervivencia, también puede ayudarlo posteriormente.

Ningún *prepper* se instruye en una sola habilidad; la realidad es que se necesita ser un experto en varios oficios. Debe estar lo más preparado posible para cualquier emergencia que surja. Por supuesto, nadie sabe cuándo podría suceder, lo que significa que ahora es un momento tan bueno como cualquier otro para comenzar a aprender.

Mucha gente piensa que el *prepping* se reduce a almacenar comida y equipamiento, y si bien eso es una gran parte, también se trata de ampliar conocimientos y capacidades.

Habilidades Útiles para *Preppers*

Hay muchas habilidades que debería perfeccionar, pero tenga en cuenta que, aunque todos los miembros de su grupo deben poseer unas nociones básicas de las habilidades más importantes, también es perfectamente válido delegar, de manera que cada uno se especialice en ciertas áreas.

Bushcraft

El término *Bushcraft* hace referencia a un arte ancestral que se vale de los recursos naturales para sobrevivir en la naturaleza. No se trata de una habilidad; es un conjunto de habilidades, abarca:

1. Buscar alimentos

Incluye conocer qué plantas puede y no puede comer, cómo cocinar sobre una fogata y cómo cosechar de manera eficiente, sin destruir un recurso por completo. Muchas plantas volverán a crecer si las cuida un poco, en lugar de arrancarlas de raíz – abogue por la sostenibilidad. Debe aprender también qué hongos son comestibles y cómo cocinarlos.

2. Cazar/Capturar/Pescar

Aprenda a rastrear y acechar a los animales, construir trampas y descubrir dónde están los mejores lugares para colocarlas. Ha de saber igualmente cómo ocultar su olor – recuerde: los animales tienen un mejor oído y sentido del olfato que los humanos, sabrán que está allí mucho antes de que los vea. Practique la forma de hacer nudos seguros y de fabricar cordeles, y no se olvide de aprender a preparar y cocinar las presas. También debe aprender a fabricar y usar armas, como tirachinas, arco y flecha, los cuales pueden hacerse a partir de recursos naturales. Cuando las aguas se agiten, todos los que dispongan de un arma buscarán las mismas fuentes de alimentos; si usted se prepara adecuadamente, tendrá la ventaja de saber con seguridad qué hay en su área, y cómo atraparlo y conservarlo. Otra habilidad útil, en este sentido, es la pesca: en la mayoría de las zonas naturales se pueden encontrar recursos hídricos con algunas especies de peces; saber cómo capturarlos y preservarlos es vital en una situación de supervivencia extrema.

3. Buscar y recoger agua

Los recursos hídricos naturales son más frecuentes de lo que parece; solo hay que saber dónde buscar. Una vez que tenga localizada su fuente de agua, fíltrela y purifíquela para que sea potable. Asimismo, considere aprender a fabricar un recipiente para recogerla y transportarla, si es que no dispone de uno.

4. Levantar un refugio

Esta parte es fundamental; no sobrevivirá mucho tiempo a la intemperie, sin importar lo bien preparado que se encuentre. Deberá aprender a talar un árbol para obtener materiales, cómo colocar las ramas para sostenerlo, o encontrar los elementos necesarios para construir el refugio. Por ejemplo, la corteza y la hierba pueden cubrirse con paja o entrelazarse para hacer un techo. Igual de importante es conocer los materiales idóneos para aislar e impermeabilizar su nuevo hogar.

5. Prender un fuego

Sin duda, uno de los aspectos esenciales para la supervivencia es saber hacer fuego. Aprenda cuáles son las maderas que arden más rápido, y las que presentan tiempos de combustión más prolongados, descubra cómo hacer yesca, cómo fabricar una herramienta para iniciar el fuego – como un arado de fuego o un taladro de arco – y cómo construir un foso para la hoguera. De igual modo, aprenda a hacer carbón.

6. Desplazarse

Saber usar correctamente una brújula o incluso un reloj para orientarse es imprescindible, pero no se olvide de aprender otros métodos, como la observación del sol, las estrellas u otros puntos de referencia.

Existen numerosos cursos que pueden introducirle a esta materia, junto con videos y demás fuentes.

Transportar la mochila y acampar

Dos habilidades básicas aquí:

7. Llevar la mochila

Ser mochilero no solo es divertido, sino que también es una forma estupenda de ponerse en forma y aprender cómo atravesar diferentes terrenos con su equipo de supervivencia. Necesitará saber exactamente cómo transportar su mochila de emergencia – el peso debe recaer sobre las caderas, no sobre los hombros. Aprenderá también cómo mantener alejados a las garrapatas, mosquitos y otros insectos, cómo evitar lesiones en las piernas y los pies, y cómo trabajar en equipo.

8. Acampar

La acampada no reviste ninguna dificultad realmente, y de hecho es mucho más fácil de aprender que llevar la mochila porque no supone un desplazamiento. Puede aprender a acampar en su patio trasero – debería adquirir cuanto antes su equipo de *camping*, salir y comenzar a practicar. En cuanto a las provisiones para sus acampadas, comience a abastecerse de alimentos liofilizados y deshidratados que le aseguren una buena condición física; puede comenzar por descubrir cuáles le gustan y cuáles no antes de realizar grandes desembolsos.

Alimentación de Supervivencia

Aquí podemos englobar varios factores:

9. Hacer pan

Debería aprender a amasar pan básico a mano – no contará con su amasadora automática – y a hornearlo sobre el fuego. También a hacer galletas, bases de pizza, tortillas mejicanas y otras recetas de panes. Invierta en un molinillo si su plan es permanecer en su hogar llegado el SHTF y aprenda a moler su propia harina.

10. Apicultura

Siguiendo con la idea de que permanecerá en casa durante la situación de emergencia, puede serle útil aprender a criar abejas y extraer su miel para comer y su cera para fabricar velas. Como adición, aprenda a preparar su propia cerveza y se asegurará trueques exitosos.

11. Aprenda a cocinar mantequilla y queso

En caso de poseer ganado, como una vaca, aprenda a batir su propia mantequilla; es un trabajo duro, pero será increíblemente satisfactorio cuando la pruebe. Puede hacer igualmente queso con leche de vaca, oveja y cabra; solo recuerde cubrirlo con una capa de cera para conservarlo por más tiempo.

12. Conservación de alimentos

Deberá aprender a preservar los alimentos en conserva. Las frutas, las verduras e incluso las carnes se pueden envasar, y es incluso mejor si cultiva y cría sus propios alimentos. Las conservas, además de ser una opción ideal para la alimentación de supervivencia, también son perfectas para el trueque.

La charcutería es una habilidad que es interesante dominar en estos casos; el arte de curar, ahumar, secar y salar carnes y pescados. Si puede, es recomendable que aprenda a deshidratar adecuadamente la comida, especialmente si no dispone de un deshidratador de alimentos a su alcance. Esta es una de las mejores formas de conservación, sin embargo, requiere un gran esfuerzo. Si opta por aprender la técnica de secado por congelación será mucho más fácil.

13. Entomología

Por extraño que parezca, aprender a distinguir entre insectos venenosos y comestibles es una gran ventaja de supervivencia. Por ejemplo, los grillos están llenos de grasas, proteínas y vitaminas, esenciales para la energía y la vitalidad que requiere sobrevivir en un entorno natural. Abreviadamente, y como norma general, los insectos de colores brillantes tienden a ser venenosos y deben evitarse.

Habilidades de Autosuficiencia y Sostenibilidad

Hablamos del estilo de vida conocido en culturas anglosajonas como *Homesteading* y que engloba los siguientes aspectos:

14. Criar gallinas

Está muy de moda en estos días tener algunas gallinas en el patio de casa, y realmente es una excelente práctica a incluir en su plan *prepping*. Primero, obtendrá una buena cantidad de huevos que puede usar para cocinar; incluso puede liofilizarlos para usarlos en el futuro. Como ventaja adicional, las gallinas y los pollos mantendrán la tierra libre de insectos y le proporcionarán fertilizantes y, como último recurso, son una buena fuente de alimento.

15. Aprenda a fabricar abono

Para ello existe una forma correcta y otra incorrecta; el peligro radica en que si no tiene certeza de lo que puede y no puede convertir en fertilizante, corre el riesgo de contraer enfermedades. Es importante también aprender a convertir en compost los desechos humanos.

16. Cultivos y conservación de semillas

El cuidado del huerto es una habilidad que debería tener presente también; fomenta el ejercicio físico, le permite respirar aire fresco y sobre todo, le asegura cosechar sus propias frutas y verduras. Puede cultivar tanto como desee - cuanto más cultive, más excedentes tendrá que conservar para el futuro. Cultivar un huerto es bastante simple una vez que se le coge el ritmo, y no resulta caro. También debe aprender a cosechar semillas de sus plantas; de esa manera, podrá mantener sus cultivos todo el tiempo que lo necesite. Además, algunas semillas son una gran fuente de alimento, como las pipas de calabaza y girasol.

Otra gran idea es construir un *walipini*. Se trata de un invernadero subterráneo donde poder cultivar frutas y verduras durante todo el año. Si lo procura lo suficientemente grande, también le podrá dar uso como lugar de almacenamiento, discreto y alejado de miradas ajenas. Se han dado casos, incluso, de personas que los agrandan para poder vivir en ellos ante una necesidad.

17. Aprenda a tejer, coser y hacer crochet

Los calcetines no se zurcirán solos y es posible que no tenga la opción de comprar ropa nueva. Ni que mencionar tiene, la importancia de cuidar y proteger bien sus prendas en una circunstancia así. También puede aprender a hacer ropa nueva, como calcetines y zapatillas.

18. Criar ganado

Además de gallinas, hay otros animales que podría criar y son buenas fuentes de recursos. No es necesario tener una vaca, y es comprensible que no todo el mundo dispone de la capacidad y el espacio para mantenerla. Sin embargo, podría considerar los siguientes:

- **Conejos** – estos requieren bastantes cuidados, y deberá mantener el macho y la hembra separados a menos que su intención sea la crianza. Los conejos son una gran fuente de proteínas y sus pieles pueden vestirse posteriormente.

- **Cabras** – son más prácticas y un poco más fáciles de mantener que los conejos y brindan múltiples beneficios: carne altamente nutritiva, mantienen su tierra despejada (pueden crear un cortafuegos alrededor de su propiedad), leche (con la que puede hacer queso, jabón y yogur), piel (que se puede curtir para convertirla en cuero), pelo (para hacer mohair) y, por último, estiércol (que se puede usar para abono cuando está fresco o como combustible para fuego cuando está seco).

Cualquiera de estos animales constituye un salvavidas en términos de alimentos y materiales útiles.

19. Fabricar jabón

Conocer los pasos para fabricar jabón puede ahorrarle una fortuna a largo plazo, especialmente si maneja leche de cabra a menudo. ¡Incluso se puede hacer jabón con cenizas!

20. Confeccionar calzado

Una de las artes antiguas, la fabricación de zapatos, es una habilidad que bien aprendida, podría ahorrarle dinero – además de evitarle problemas en los pies.

Habilidades en Primeros Auxilios

Aquí tenemos un par de aspectos fundamentales:

21. Primeros auxilios básicos

Hacer un curso de primeros auxilios básicos es indispensable – puede marcar la diferencia entre la vida y la muerte cuando no hay acceso a ayuda médica. Si quiere ir un poco más allá, puede continuar formándose en técnicas de medicina de emergencia.

22. Hierbas curativas

Algo adicional al punto anterior es aprender a reconocer y usar las hierbas curativas – hay una gran cantidad de plantas con propiedades medicinales.

Habilidades para las Comunicaciones

Este punto es uno de los más importantes. La comunicación es clave, no solo entre los miembros de su grupo *prepper*, sino con otras personas también.

23. *HAM Radio*

La comunicación es un factor estratégico para conocer los suministros de alimentos y agua, en qué condiciones se encuentran otras áreas, y descubrir los acontecimientos más recientes respecto a la situación de emergencia. Aunque se necesita una licencia para operar una *Ham Radio* y no es un equipo económico, es una habilidad en la que debería, sin lugar a dudas, invertir. Además, aunque es ilegal transmitir, en una situación de emergencia está permitido.

24. Código morse

Este código universal puede ser un seguro de vida cuando el resto de comunicaciones fallen. Con una serie de puntos y guiones simples, puede comunicarse casi cualquier cosa: en papel, de forma visual, a través del sonido, a través del lenguaje corporal, usando linternas y mucho más.

Otras habilidades útiles

Mientras que las anteriores son todas habilidades esenciales, existen otras muchas que le serán de gran ayuda:

25. Autodefensa

Sí, podría usar un arma, pero hay otras formas menos letales de protegerse a sí mismo y a su familia. Por ejemplo, aprender artes marciales, que, aunque pueden ser letales, no tienen por qué serlo. Reforzarán su confianza en sí mismo y, llegado el caso, pueden demostrar a los atacantes que va en serio.

26. Nadar

No todo el mundo sabe nadar, pero usted debería aprender sin lugar a dudas. El planeta se compone de agua en un 75%, lo que significa que hay bastantes posibilidades de que, en algún momento, su grupo necesite cruzar algún medio acuático. Debe dominar la natación completamente vestido, bucear, y ser capaz de librarse de cualquier amenaza que aparezca mientras nada.

27. Soldar

Esta es una habilidad muy útil que cualquiera puede aprender a desarrollar. Su manejo puede resultar inestimable a la hora de reparar vehículos, fabricar armas, o incluso crear su propia fuente de energía.

28. Reunir cupones

Aprender a usar los cupones de una forma inteligente puede conducirle a un gran ahorro, e incluso puede proporcionarle obsequios que serán una buena adición a su equipamiento *prepping*. Sorprendente o no, existen incluso cursos que puede realizar para orientarse a este propósito.

29. Paracord

El paracord es uno de los materiales más populares entre los *preppers* y tiene multitud de usos. Es de alta resistencia y se puede usar para amarrar refugios, hacer muebles improvisados, cinturones, tirantes, llaveros-bomba y muchas otras cosas. Esta es una de esas habilidades que nunca lamentará haber aprendido.

30. Tallar

Aprender a tallar puede ser de gran utilidad a la hora de fabricar diferentes artículos y herramientas, como un arco y una flecha, una honda, juegos para mantener a los niños ocupados, etc. Y puede usar las virutas de madera sobrantes para encender el fuego.

31. Trueque

Es verdaderamente interesante mostrar ingenio a la hora de intercambiar bienes, sobre todo cuando se dispone de muy poco. Se necesita destreza para usar sus posibles excedentes en trueques vecinales, o para usar el dinero que haya ahorrado, etc. Es posible intercambiar casi cualquier cosa, pero un consejo: nunca revele cuánto tiene. La gente se pone celosa con facilidad y eso genera problemas, especialmente en tiempos desesperados.

Las arriba citadas son las más importantes y útiles, pero existen muchas más habilidades que puede aprender como parte de su entrenamiento para el SHTF.

Los 15 Errores más Frecuentes al Convertirse en Prepper

Como ya sabrá, llevar un estilo de vida *prepping* no es especialmente sencillo y, como principiante, es probable que cometa muchos errores. Es muy posible que, recabando información sobre el *prepping* en internet, se tope con comentarios negativos de personas que han tenido malas experiencias, y es normal que se inquiete. Sin embargo, prepararse adecuadamente y poner atención a los detalles le garantizará evitar la mayoría de los riesgos – no puede controlarlo todo, pero ciertamente puede reducir la posibilidad de que las cosas salgan mal.

Con tal fin, vamos a listar los 15 errores más importantes que debería evitar cometer:

1. Revelar Detalles Sobre su Refugio de Emergencia

¿Ha visto alguna vez *"Shelter Skelter"*, un episodio de *The Twilight Zone* (serie conocida como La Dimensión Desconocida en español)? Le recomiendo que lo busque en YouTube – después de verlo, no le cabrá la menor duda de por qué es importante mantener la boca cerrada. En líneas generales, trata sobre un hombre que, en una fiesta, se va de la lengua sobre su refugio de emergencia. Más tarde, cuando las primeras sirenas de emergencia comienzan a sonar, todos sus vecinos aparecen de la nada y rompen la puerta del refugio. Finalmente, resulta ser una falsa alarma, pero imagine que le sucediera algo así y la causa fuera una explosión atómica; habría recibido una gran dosis de radiación.

Las únicas personas con las que debe compartir sus planes son aquellas en las que confía al cien por cien, y con las que desea compartir su refugio, si surge la necesidad. También puede hablar abiertamente con otros *preppers*. Aparte de eso, sea discreto y manténgalo en secreto.

Las personas desesperadas son las más peligrosas, y lo último que necesitará llegado el caso es gente asustada intentando acceder a su último lugar seguro.

2. Desatender sus Tareas de Planificación

Ciertas áreas presentan una tendencia a sufrir ciertos tipos de impactos frente a otros, y el mayor error que puede cometer es no prepararse para lo que es más probable que ocurra en su zona. Está bien planificarse para enfrentar todas las potenciales catástrofes, pero si, por ejemplo, centra sus esfuerzos en prepararse para el peor escenario posible, como una lluvia radiactiva, y sin embargo no toma en cuenta los tornados que son comunes en su área, no estará empleando bien sus recursos.

Imagine que su área es propensa a sufrir graves inundaciones cada diez años aproximadamente. Podría pensar que la última ocurrió hace dos años y aún dispone de tiempo ¿Verdad? Incorrecto. Con el calentamiento global y el cambio climático, podría ocurrir otra inundación en cualquier momento. Y si no se encuentra preparado para ello, podría verse en apuros.

Obviamente, un refugio subterráneo no es lo más adecuado en un escenario de inundación, lo perdería todo. ¿Y si vive en un área propensa a huracanes? Es posible que no tenga que salir de su casa, pero debe estar preparado para la caída del suministro de agua, gas y electricidad, al menos durante unos días. También debe estar preparado para las temperaturas – un desastre puede ocurrir en cualquier momento, ya sea en pleno verano o en mitad del frío invierno.

3. Descuidar la Forma Física

Como *prepper* necesita estar listo para cualquier contratiempo, y eso requiere mantenerse en buena forma. Piense que es bastante difícil que pueda protegerse a sí mismo, a su familia y a su propiedad si ni siquiera puede subir un tramo de escaleras con facilidad.

Dedicar tiempo para hacer ejercicio no siempre es fácil, sin hablar del gasto que conlleva matricularse en un gimnasio. Por suerte, no es necesario apuntarse a uno para ponerse en forma; en su lugar, comience a hacer ejercicio en casa – existen multitud de ejercicios que se pueden realizar en el hogar, empleando solo cinco minutos. Si toma el transporte público para ir al trabajo, bájese en una parada anterior y camine. Use las escaleras, no las escaleras mecánicas o el ascensor. Pasee durante media hora después del almuerzo. Estos pequeños gestos, que puede incorporar a su día a día, le ayudarán a mantenerse en forma y estar más preparado; todo suma. Y si su familia también necesita ponerse en forma, puede organizar salidas en bici o caminatas los fines de semana.

4. No Entrenar sus Habilidades

Está muy bien invertir en costosos dispositivos de supervivencia y gastar una fortuna en su plan *prepping* – sin ser necesario –, pero también debe curtirse en las habilidades necesarias para usar dichos dispositivos con el mejor efecto. Compre lo que crea que funcionará, pero tómese el tiempo para aprender a usarlo en el caso de un escenario SHTF.

Imagine una situación de crisis; está atrapado, no tiene su mochila de emergencia ni armas para defenderse. O las tiene, pero no sabe cómo usarlas. ¿Entonces qué? Podría confiar en sí mismo hasta cierto punto, pero sin habilidades de supervivencia no durará mucho ante el peligro acechante.

Mientras esté en buena forma, haya aprendido a defenderse y posea destreza para la supervivencia, tiene muchas más posibilidades de superar exitosamente cualquier situación de emergencia. No tiene que convertirse en Bear Grylls, pero necesita algunas habilidades.

5. No Seleccionar los Alimentos Idóneos para Periodos Largos

Corre el riesgo de asumir que cualquier comida deshidratada o envasada servirá, o puede que siga las sugerencias de unos videos que visualizó en internet, y acabe comprando elementos que en realidad no necesita. ¿Está considerando almacenar fideos o sopas Ramen? ¡Una caja de cartón sería más nutritiva! No son saludables y tienen un alto contenido en sal; a menos que tenga varios litros de agua de sobra, que no tendrá, no durará mucho tiempo alimentándose de ellos. Además, no contienen proteínas ni ningún otro valor nutricional.

Debe revisar las etiquetas de sus provisiones. Es muy habitual preparar los kits de comida de supervivencia con bocadillos altos en sodio, y aunque es aconsejable contar con alguna golosina, no se trata de eso. Céntrese en almacenar alimentos que le aporten un equilibrio de proteínas, grasas y carbohidratos; estos son los macronutrientes esenciales para la salud. Tener algunos bocadillos a mano está bien, pero no se exceda; asegúrese también de informarse bien antes de comprar toneladas de alimentos de emergencia en Internet.

6. Tener Muchas Mascotas Pequeñas

Esto podría generar controversia. La mayoría de las personas se preparan para desastres de menor escala, que podrían dejarlos sin energía o agua durante algunos días, y en estos casos, un par de animales de compañía de pequeño tamaño está bien. Sin embargo, si piensa que el apocalipsis está a la vuelta de la esquina y desea tener un animal, opte por uno más grande.

Los perros grandes pueden ayudarle a protegerse, mientras que los animales más pequeños le ralentizarán.

7. Desatender sus Necesidades Intelectuales

Tanto si permanece en casa como si debe evacuarla, necesitará disponer de un plan para mantener la mente activa. Obviamente, la comida y el agua son importantes para la supervivencia, pero no descuide su cerebro. Incluya algunos libros en su arsenal, una mezcla de géneros, y no olvide incluir también algunos manuales de supervivencia – estos serán de mucha ayuda en un escenario SHTF. Procúrese libros sobre cultivos, conservación de alimentos, habilidades de primeros auxilios y cualquier otra cosa que pueda ayudarle en una situación desesperada.

También puede almacenar algunos juegos de mesa, cartas, crucigramas y otras cosas divertidas que mantendrán su mente ocupada.

8. No Disponer de Equipo *Fitness* en su Refugio

Esto no se refiere a "aparatos pesados", como máquinas de correr, etc., pero debe procurarse algún tipo de equipo. No solo mantendrá altos sus niveles físicos, sino que las investigaciones muestran que el ejercicio puede evitar que se deprima.

Todo lo que necesita son unas cuantas mancuernas, algunas bandas de resistencia y cualquier otro equipo pequeño que quiera incluir. Un equipo de estas dimensiones podría incluso acompañarle si necesita abandonar su refugio.

9. Confianza Excesiva en los Dispositivos Electrónicos

¿Cuántos videos ha visto donde los *preppers* entierran artículos y registran las coordenadas en su GPS? En teoría es una gran idea, pero ¿qué sucede si la red se cae? ¿Qué sucede si estalla un pulso electromagnético masivo (PEM) en su área? Sencillamente su GPS no funcionará y no encontrará dónde enterró su equipo.

Haga las cosas a la antigua – aprenda a leer y utilizar un mapa. Invierta en uno que muestre su área, incluso un poco más amplio si es necesario. También puede comprar un libro de mapas que abarque todo el país; de esa manera, podrá llegar a donde necesite sin depender de un GPS.

Aprenda igualmente navegación observando el sol y las estrellas; no es tan difícil como cree. Y podría plantearse comprar una pequeña jaula o bolsa de Faraday, mantendrá sus dispositivos electrónicos seguros en caso de un PEM.

10. Despilfarrar en Artilugios de Supervivencia

Este es otro gran error del *prepper* novato. Un día comienza a buscar equipo de supervivencia y termina consultando los aparatos más costosos e innecesarios. ¿Cuántos cuchillos diferentes ha visto? ¿Cuántos modelos de hachas y linternas? No se complique, compre solo lo que realmente necesita y olvídese de artilugios innecesarios. Es importante que se fije un presupuesto mensual y trate de ajustarse a él.

11. No Comprobar las Fechas de Caducidad

Tenga siempre a mano pastillas purificadoras de agua y alimentos almacenados según su fecha de vencimiento – a corto y a largo plazo. Para este último, asegúrese de verificar las fechas de consumo preferente y rotar sus existencias con asiduidad. Al comprar alimentos, póngales una etiqueta de caducidad y almacénelos bajo ese criterio – lo mismo puede aplicarse a los contenedores de agua, ya que el agua se echará a perder si no se almacena correctamente o se contamina. Las pastillas purificadoras ayudarán si el agua se torna verde, así que asegúrese de contar con una buena cantidad y que estén actualizadas.

12. No Tener una Planificación Adecuada

Este es, sin duda, uno de los peores errores que puede cometer. Si se asegura de tener suficientes existencias de alimentos, pero acto seguido los almacena en una habitación y se olvida de ellos, es posible que para cuando los necesite ya no sean comestibles.

También debe organizarse por si finalmente tuviera que evacuar, no solo su hogar, sino también su pueblo o ciudad. Asegúrese de tener un plan de escape de emergencia que le brinde una salida rápida y segura, evitando grandes atascos de tráfico.

13. No Almacenar Suficientes Provisiones de Agua

La mayoría de los *preppers* se aprovisionan en base a un plan que engloba comida para 72 horas, pero el agua es un asunto aparte. Podría estar convencido de que con un par de packs de botellas estará cubierto, pero nada más lejos de la realidad. Hay que tener en cuenta al menos 2 litros de agua por persona y día para beber – más si las temperaturas son altas. Repare asimismo en la cocción y el lavado, y verá que las necesidades de agua se van incrementando. El mínimo es 4 litros por persona y día – tenga en cuenta que puede pasar tres semanas sin comer, pero solo tres días sin agua – conviértalo en su máxima prioridad.

14. Organizarse únicamente para Evacuar

Muchos *preppers* se centran en escenarios en los que tienen que abandonar sus hogares y adentrarse en el bosque, pero no todos los casos requieren eso; cuando tienen lugar terremotos o huracanes, el mejor lugar donde puede estar a salvo es su sótano.

En definitiva, permanecer en casa siempre será mejor que marcharse, pero lamentablemente pocos *preppers* consideran esta posibilidad. Claramente, debe poner más énfasis en el plan de evacuación porque las implicaciones son más serias, pero no dude en tener otro para quedarse en casa por unos días.

15. Colocar Todo el Equipo de Supervivencia en un Mismo Lugar

Otro error común. Puede parecer lógico, pero en realidad no lo es. Por ejemplo, digamos que guarda todo en su garaje. Cuando llegue un huracán y su garaje sea el punto más débil, ¿Qué sucederá si no puede entrar para recuperarlo? Mejor distribuya su equipo por toda la casa, de modo que al menos parte de él sea accesible llegado el caso. Incluso podría considerar alquilar una taquilla de almacenamiento para guardar algunas cosas – de esa manera, si está fuera y no puede regresar a su casa, al menos podrá recuperar algunos artículos.

Y aquí finaliza la primera parte de esta guía. En la siguiente, analizaremos el estilo de vida autosuficiente.

SEGUNDA PARTE: IMPLEMENTAR SU PROPIO SISTEMA DE SUMINISTROS

Autosuficiencia: Razonamiento y Conceptos Erróneos

Cerca de dos mil millones de personas viven en la actualidad al margen del sistema de suministros públicos en el mundo, no todas por elección propia. Solo en los Estados Unidos, más de 200.000 familias han dado el salto, y ese número crece cada año. Gran parte se debe a que cada vez más personas desarrollan conciencia sostenible, y otra parte se debe a los *preppers* que se planifican para un escenario SHTF - una posibilidad real, dados los eventos que están teniendo lugar cada día en el mundo, ya sea provocados por el hombre o naturales.

Pero ¿qué quiere decir vivir al margen del sistema? En su sentido más estricto es vivir de forma autónoma, sin depender de los servicios públicos como agua, electricidad, alcantarillado, gas, etc. Significa que usted mismo se autoabastece, y hay muchas formas de hacerlo. No es necesario desconectarse por completo del sistema público desde el principio. Puede comenzar poco a poco e ir desconectándose hasta alcanzar la autosuficiencia.

Algunos *preppers* adquieren solo cierto equipamiento, mientras que otros convierten poco a poco sus propiedades en hogares autosuficientes. Todo ello, junto con el plan de almacenamiento de alimentos y otros equipos de supervivencia.

Razones para Vivir al Margen del Sistema de Suministros y Servicios Públicos

Hay dos escenarios principales para los que un *prepper* debe prepararse, en lo que se refiere a vivir al margen del sistema público: el huracán/inundación/tornado, etc., que le puede dejar sin suministro durante varios días, o un escenario fin del mundo/apocalipsis, donde estos servicios se caigan a largo plazo, posiblemente para siempre.

Para otros, la elección de vivir al margen del sistema público es una decisión que se toma por otras muchas razones.

1. **Autosuficiencia** – esta es la esencia de vivir al margen del sistema público; no depender de fuentes externas sino de las propias. Como *prepper,* es muy importante saber que cuenta con sus propios recursos en caso de que el sistema público colapse.

2. **Sostenibilidad** – a fin de cuentas, se trata de llevar una vida sostenible, y no de agotar los tan limitados recursos disponibles. De esta forma estará produciendo más de lo que consume, asegurando el bienestar de su familia y contribuyendo a la sociedad.

3. **Energías renovables** – hoy más que nunca las energías renovables cobran sentido. Cada vez tomamos más conciencia medioambiental, y estamos viendo las consecuencias de agotar los recursos energéticos.

4. **Porque es responsable con el medio ambiente** – todos tenemos la responsabilidad de cuidar el planeta, y cuantas más personas comiencen a vivir de forma autónoma y sostenible ahora, más probable será que las futuras generaciones tengan un mundo decente en el que vivir.

5. **Porque es práctico** – en este estilo de vida, la mayoría de los recursos se reutilizan y reciclan, es decir que se asegura su empleo más práctico y eficiente.

6. **Menos emisiones de carbono** – cuando vivimos de forma autónoma y sostenible usamos menos recursos, lo que se traduce en una menor emisión de residuos.

7. **Estilo de vida saludable** – además de incrementar la actividad física, también estará llevando una dieta más saludable basada, en gran parte, en productos que usted mismo estará cultivando.

8. **Menos estrés** – eliminar de su lista de preocupaciones el pago de interminables facturas de luz, agua, gas, etc., se traduce en menos estrés. Y al sentirse más feliz y activo, sus ciclos de sueño también mejorarán, reduciendo aún más sus niveles de estrés.

9. **La vuelta a las raíces** – este estilo de vida se ha venido aplicando desde siempre; hace relativamente poco que comenzamos a confiar en el sistema público para proveernos con servicios e infraestructuras. Despréndase de esa dependencia y comience a vivir como solíamos hacer – y sepa que, en ese entonces, los niveles de estrés y enfermedades eran significativamente menores.

10. **Transmisión de los conocimientos** – al adoptar un estilo de vida autosostenible, contribuimos a preservar muchos conocimientos para las generaciones venideras. Participar de un mundo super-consumista significa que esta

sabiduría aprendida se acabará perdiendo, quizás para siempre.

11. **Reducir el uso de recursos** – es simple; viviendo de forma autosuficiente la creación de recursos es superior al consumo de los mismos, y por otra parte también consume menos recursos públicos, lo que beneficia a todos.

12. **Adiós al gasto y al consumismo** – es imposible controlar el consumo de recursos públicos y su consiguiente gasto. Podrá reducirlo o incluso eliminarlo si depende sus propias fuentes de recursos. Adicionalmente, estará contribuyendo a toda la sociedad.

13. **Estilo de vida aún más saludable** – toneladas de aire fresco y una alimentación sana le repercutirán grandes beneficios; estará pasando más tiempo al aire libre, y dispondrá de cosechas propias, libres de pesticidas y químicos.

14. **Bricolaje** – para todos en general y para los *preppers* en particular – tendrá la oportunidad de crear y construir cosas que jamás hubiera imaginado: refugios, lugares de almacenaje, plantas eléctricas (a pequeña escala, obviamente), elementos para la recolección y almacenaje de agua, y la lista sigue y sigue.

15. **Ser independiente** – al dejar de depender del sistema público de servicios, comenzará a confiar más en sus propias habilidades y su sentido de independencia se verá reforzado.

Ideas Erróneas sobre el Estilo de Vida Autosuficiente

LLevar un estilo de vida autosuficiente es un valor seguro para cualquier *prepper*, una garantía para sobrevivir al SHTF. Realmente tiene mucho sentido desvincularse del sistema público y tener la seguridad de que no se va a encontrar en un apuro, si algún día estos servicios fallan. Sin embargo, pocos *preppers* lo implementan correctamente, y algunos se dan por vencidos, casi antes de empezar. Dicha tendencia se debe, en gran medida, a la cantidad de ideas erróneas que circulan acerca de este estilo de vida, así como al hecho de que se necesita una gran cantidad de preparación, y dinero para llevarlo a cabo con éxito. Dicha falta de preparación y resistencia puede conducir todo un plan *prepping* al fracaso – innecesariamente. Las ideas erróneas más frecuentes son:

1. Creer que se las Arreglará con un Panel Solar Portátil

Mucha gente piensa que esto es todo lo que su hogar necesita, pero ¿Cree que es posible dotar energéticamente toda una casa con una potencia 45 vatios? Solo con cargar su portátil estará usando 30 vatios, y necesitará otros cinco más para su teléfono, pero si lo que quiere es disponer de luz, calefacción, y poder usar otros componentes electrónicos, un panel portátil no bastará para cubrir sus necesidades.

2. Pensar que Hacer la Colada Será Sencillo

Existen en el mercado multitud de dispositivos para hacer la colada sin electricidad, pero ninguno es realmente útil. Por supuesto que es conveniente contar con un electrodoméstico que nos ayude a lavar la ropa, aunque no es difícil hacerlo a mano. Todo lo que necesita es un fregadero o bañera y un plan para secar la ropa. Y en esto último es donde verdaderamente se enfocan los auténticos expertos en autosuficiencia – son conscientes de que la dificultad se centra en el secado de la ropa.

Si hace buen tiempo, puede secar la ropa al aire libre, pero ¿qué ocurre si llueve a cántaros? ¿Y si hay una ventisca o está helando? La tarea se complica. Si la casa es grande y consta de un sistema de calefacción por energía solar, entonces no hay problema, pero generalmente no es el caso. Una opción es secar la ropa en tenderos de interior, pero esté preparado para que sus prendas tarden un par de días en secarse. Como alternativa, si dispone de espacio suficiente, podría usar una habitación o incluso un cobertizo, provisto de varias cuerdas para tender y una estufa de leña. Y como último recurso, siempre puede pagar a alguien por este servicio.

3. ¡Instalar Paneles Solares en el Techo es una Gran Idea!

A pesar de ser una creencia bastante extendida, el techo no es el mejor lugar para instalar paneles solares. El techo se calienta con facilidad – la temperatura aumenta – y esta gran cantidad de calor disminuye la eficiencia de sus placas. Además, si tiene que aplicarles algún mantenimiento como limpiarlos o deshacerse de la nieve, el techo es un lugar muy inaccesible.

Mejor opte por el montaje a ras de suelo – se beneficiará de cantidades mayores de energía y de más comodidad en su mantenimiento.

4. No tener un plan B

Al generar su propia energía, no contará con el soporte técnico de ninguna compañía eléctrica si algo va mal. Esto no siempre es algo negativo, pero tenga en cuenta que debe disponer de una fuente de energía alternativa – para todo; cocina, calefacción, duchas, almacenamiento de comida, luces, etc.

5. Deducir que no Necesitará Propano

El propano es indispensable si se apuesta por la autosuficiencia energética, especialmente si no puede realizar un enorme desembolso en un sistema de energía solar de última generación. Los sistemas de energía solar estándares, por lo general, no son suficientes para cubrir todas sus necesidades energéticas. Probablemente, podría arreglárselas sin el propano si opta por usar leña, pero ¿está dispuesto a esperar un par de horas en pleno invierno para notar la calefacción y que el agua se caliente? Seguramente no; necesita propano.

6. Creer que las Estufas de Leña son el Plan Perfecto

Muchas personas que llevan este estilo de vida usan estufas de leña, pero deténgase a pensar en el esfuerzo que requieren – cortar leña todos los días para asegurarse una cantidad suficiente; sin mencionar que necesita madera en su zona residencial. Luego tiene que limpiar la estufa y prepararla, todos los días. Cortar, apilar, mover madera, limpiar el fuego y encenderlo, todos los días. Eso es lo que nadie cuenta nunca; lo difícil que es. Su día a día sería algo así:

Cada mañana, durante todo el invierno, se despierta en una casa helada. Sale de la cama apresuradamente para encender el fuego de nuevo y apilar algunos troncos sobre él. ¡Oh, oh! Se olvidó de meter leña la noche anterior, así que sale a buscarla al exterior. Para cuando llega a casa del trabajo, el fuego se ha apagado, de nuevo la casa helada. Y una vez más, traiga leña y prenda otro fuego. En el momento en que haya terminado de lidiar con las serpientes, a las que les encanta hibernar en pilas de leña, y de limpiar el desorden que se originó al traer la madera, habrá terminado el día y ni siquiera habrá pensado en cenar, una ducha o acomodarse frente al televisor.

¿Le parece un plan perfecto? ¿O preferiría presionar un botón y tener su casa cálida en cuestión de minutos?

7. Optar por Instalar un Seguidor Solar

Este es un error muy extendido al iniciarse en la energía solar; muchos creen que necesitan instalar seguidores solares para que sus placas se orienten continuamente hacia el sol ¿quiere saber un secreto? No es necesario; en su lugar, agregue un panel solar adicional. De este modo, se ahorrará una suma importante y estará generando mucha más energía. Un seguidor solar puede incrementar su energía en alrededor de un 20 por ciento – para un sistema de 1 kW, podría aumentar a 1,2 kW. Sin embargo, cuestan una fortuna, y requieren de unas bases enormes de hormigón – le supondrá una inversión de alrededor de 1.500 dólares en total. Sin embargo, si añade una nueva placa por unos 250 dólares podrá aumentar su sistema hasta 1.5kw en un día. Por menos dinero, obtiene más potencia, y no hay elementos móviles que puedan romperse.

8. Comprar un Refrigerador de Propano y Placas Solares DC

Sí, el sistema DC en principio presenta mayor eficiencia energética, pero hay otros factores que vale la pena considerar. Hay demasiadas leyendas urbanas circulando por internet, demasiadas webs desactualizadas, y demasiada gente que cree a pies juntillas todo lo que lee.

En la actualidad, la tecnología *inverter* ha avanzado mucho, y las placas son más económicas. Ya no es eficiente invertir DC a AC; por el contrario, si añade uno o dos paneles solares extras, lo que pierde estará más que compensado. Compare eso con la inversión que conllevan los carísimos sistemas especiales DC y no es necesario hacer grandes cálculos para concluir cuál es la mejor opción.

Por otra parte, tenga en cuenta que no es fácil encontrar un electricista que trabaje los sistemas DC, y que su oferta en el mercado es reducida, lo que significa precios más altos. En conclusión, apueste por el sistema energético AC y agregue un mayor número de placas.

La Realidad del Estilo de Vida Autosuficiente

A muchas personas, la idea de vivir al margen del sistema público de suministros les evoca películas del apocalipsis, raciones de comida envasada, y montones de munición - sin mencionar a los desaliñados de pelo largo merodeando.

La realidad, sin embargo, es otra bien distinta. Realizando las instalaciones apropiadas, puede tener iluminación con solo presionar un botón, inodoros que se descargan, un refrigerador que enfría la comida y agua tibia para la ducha.

Piense en los tiempos antiguos - ¡Sus antepasados llevaron este estilo de vida! Incluso los emperadores y reyes tenían que depender del fuego para obtener calor y luz, y usaban agua directamente de pozos y ríos. No tenían el lujo del agua y la energía al alcance de la mano, y es posible que usted tampoco lo tenga en un escenario grave de SHTF.

Algunos optan por reducir su dependencia del sistema público, aportando su parte para salvar el medio ambiente, y otros quieren vivir una vida totalmente autosuficiente. Como *prepper*, la autosuficiencia es clave, pero necesita saber qué desafíos enfrentará, así como las recompensas que obtendrá.

Desafíos y Recompensas

Quizás le guste emplear su tiempo en subir fotos a Instagram de sus últimas vacaciones, ver su serie favorita cada noche o parar a tomar un café con leche de camino al trabajo. Podrá continuar haciendo sus actividades favoritas, pero también tendrá que dedicar tiempo a cortar y apilar leña, cuidar del ganado, cultivar el jardín y almacenar comida, además de equipar su casa. Si bien encontrará retos, también hay muchas recompensas.

1. La Comida es una Gran Responsabilidad

Debe ser su máxima prioridad, junto con el agua. Es necesario contar con una fuente segura de alimentos, pero tenga en cuenta que conseguir productos y ganado libres de pesticidas, antibióticos y criarlos respetuosamente no es sencillo. Debe organizarlo todo, mantener su jardín y sus animales, y también estar preparado para cortar su propia carne. Y cuando recoja su cosecha, debe ocuparse de almacenarla de manera que dure y no se eche a perder.

El otro lado del trabajo duro es la recompensa – una fuente segura de comida sabrosa. Su plan *prepping* no debería basarse en alimentos enlatados y empaquetados; se trata de almacenar su propia carne, huevos, aves y mantener una producción para que pueda llevar una alimentación saludable, todo cocinado en una estufa de leña o solar. No hay nada mejor que eso.

2. Construir un Hogar Autosuficiente

El tipo de viviendas que habitamos en la actualidad no están diseñadas para un estilo de vida autosuficiente. Si quiere hacer la prueba, desconecte la electricidad durante una semana; pronto verá aparecer moho y humedad, y probablemente hasta su propia penicilina en el frigorífico. Muchos seguidores de este estilo de vida, particularmente los *preppers*, optan por construir una nueva casa compatible con estas necesidades. Y la razón por la que la mayoría de viviendas autosuficientes se levantan en medio de la nada, es debido a que la normativa de construcción en la ciudad es restrictiva y costosa.

Con casi toda certeza, este será el mayor proyecto de bricolaje que jamás haya emprendido, pero se sentirá bien compensado cuando disfrute de más libertad. Podrá construir su casa con los materiales que elija, podrá usar recursos renovables, y diseñarla para vivir de forma autónoma. Exactamente como quiera.

3. No Deje Para Mañana lo que Pueda Hacer Hoy

Cuando se lleva un estilo de vida autosuficiente, no hay cabida para ser pasivo o postergar las cosas. Lo que no haga, simplemente no se hará. Puede que tenga que pasar los meses de primavera y verano recolectando, cortando y apilando leña. Tendrá que estar muy pendiente de los cultivos y el ganado, para conseguir una producción tan eficiente como pueda.

Nadie va a vaciar su inodoro ecológico de compost, su ropa no se colgará sola en la cuerda, ni tampoco la cuerda le avisará de que su ropa está seca. ¿Y los riquísimos quesos y mantequillas? Sencillamente no los disfrutará si no va a ordeñar la vaca o la cabra.

El dinero, por supuesto, puede ser una preocupación y algunas personas continúan trabajando, aunque vivan de forma autónoma. No es necesario que lo haga si se integra en la comunidad adecuada. Puede cultivar más productos y venderlos en los mercados, hacer trueques con los vecinos, aprender a tejer y coser para vender productos, etc. ¡Todos tenemos alguna habilidad que podemos rentabilizar! Lo que seguro que no necesitará es mirar el reloj – cuidar la puntualidad, asistir a una reunión de personal y todos esos aspectos irritantes. Una vez que alcance la autosuficiencia y comience a vivir una vida sostenible, sus necesidades financieras serán pequeñas.

4. Capeando el Temporal

Todo el mundo ha sufrido alguna vez un apagón o corte de suministro. El servicio público realmente le proporciona muchas comodidades, pero no olvide que está a su merced. En esos casos únicamente cabe esperar a que vuelva el agua o la luz – no hay nada que pueda hacer.

En cambio, si se desvincula del suministro público, estará todo en sus manos. Puede ser un trabajo duro, pero tendrá el lujo de tener electricidad, agua, calefacción y todo lo que necesite sin importar que llegue una gran tormenta o cualquier otro desastre. Cuando se da la alarma de tormenta, la gente se dirige a las tiendas y compra en pánico; mientras tanto usted podrá encender un fuego y sentarse allí con una taza de chocolate caliente y ver la tormenta desplegarse, desde su hogar cálido, seguro y protegido.

5. No Espere Empatía

Su vida será muy diferente de la vida de otras personas, y aunque algunos sentirán curiosidad por su elección, otros intentarán ridiculizarlo. Su conversación puede girar en torno a un plan de rotación de cultivos y ganado, mientras que otros discuten acerca del último episodio de Riverdale – quizás ni siquiera le resulte familiar. Es posible que, por un tiempo, sienta que está aislado de la realidad, hasta que recuerde que su realidad es fruta fresca esperando a ser recolectada, huevos frescos todos los días o una casa cálida durante la noche que no depende del suministro de la red pública.

La vida normal es la que cada uno elige y, por más desafiante que sea, también será enormemente gratificante – se preguntará seriamente por qué no lo hizo antes.

Homesteading 101

La definición del término anglosajón '*Homesteading*' es "cualquier terreno donde puede levantarse un hogar." Suena bastante simple, ¿Verdad? Hoy en día, *homesteading* se usa para referirnos a aquellos que optan por un estilo de vida autosuficiente.

Diferentes Tipos de Homesteading

Homesteading no se limita a una parcela de tierra con un edificio; veamos los cuatro tipos principales:

Homesteading Viviendo en un Piso

Es equivalente al tradicional, pero ajustado a las limitaciones de espacio propias de un apartamento:

- **Cultivo en Macetas** – si su vivienda cuenta con una terraza, disponga varias macetas y cultive en ellas algunas frutas y verduras. Si el espacio se lo permite, podría incluso colocar un pequeño invernadero.

- **Pequeños Animales Domésticos** – ¿Tiene una terraza espaciosa? Puede preguntar a su casero, en caso de que la vivienda sea alquilada, por la posibilidad de criar un par de gallinas o conejos – disfrutará de huevos frescos y carne todo el año.

- **Conservar Alimentos** – no necesita mucho espacio para esto, bastará con un congelador y poseer ciertos conocimientos para preparar sus conservas. Aun cuando no cultive sus propios alimentos, podrá comprarlos aprovechando las ofertas y almacenarlos para su posterior consumo.

- **Cultivar Especias** – ya sea en la cocina o en la terraza, es una forma ideal de disponer de especias frescas siempre que quiera.

- **Crear un Fondo de Despensa con Alimentos Básicos** – usando elementos como harina y azúcar, podrá cocinar mezclas de masas, rellenos, salsas, mantequilla, nata, etc. Si previamente compra estos ingredientes básicos cuando están en oferta, tendrá doble ventaja.

Homesteading a Pequeña y Gran Escala

Tradicionalmente el *Homesteading* se practica sobre todo en áreas rurales, con tierras para cultivar y criar ganado. Si, incluso en un jardín pequeño puede tener un invernadero, cultivar verduras y criar algunos animales, imagine las posibilidades de un jardín más grande, todo esto se transforma a una escala mucho mayor.

Si no dispone de mucho espacio, es posible que no pueda cultivar suficiente alimento para el ganado durante los meses de invierno y quizás se vea en la necesidad de comprar heno. Por el contrario, un terreno más grande, le asegurará la tierra que necesita para ocuparse de ello usted mismo, y también podría criar más ganado.

Homesteading Urbano

Las personas que practican la vida autosuficiente en el entorno urbano suelen tener huertos pequeños y generalmente subdivididos, donde cultivan algunos productos, crían animales de granja pequeños, como gallinas y patos, y si pueden obtener permiso, conejos y cabras también. Todo lo que se necesita es permiso para hacerlo, una mente creativa y la capacidad de levantarse y ponerse en marcha para que funcione.

Primeros Pasos Homesteading

Estos son los principales factores que debe considerar a la hora de iniciarse en el *Homesteading*:

1. **Ser previsor** – no se trata de improvisar sobre la marcha. Necesita un plan ejecutable y unos claros objetivos a corto y largo plazo. ¿Apostará por el autoabastecimiento de alimentos total o parcial? ¿Y qué hay de la autosuficiencia energética? No anticiparse a estas preguntas es la mejor receta para arruinar su *Homesteading*.

2. **Fuentes de Energía** – si planea optar por la autosuficiencia energética, asegúrese de elegir una fuente renovable de energía como la solar, hidráulica, biomasa, eólica, etc.

3. **Prepararse para el Invierno** – es importante hacer del hogar un refugio cálido y acogedor para los duros meses invernales así que aprenda a realizar las tareas necesarias: limpiar los canalones, estufas de leña y tuberías, cortar y almacenar leña, enjaular árboles y plantas para mantenerlos a salvo, proteger al ganado, etc...

4. **Cultivar un Huerto** – para ser autosuficiente es imprescindible saber cómo cultivar un huerto. Si lo hace correctamente, podrá mantener su producción durante todo el año y si tiene excedente, siempre puede venderlo o intercambiarlo. Aprenda los tiempos de maduración para cosechar diferentes verduras y frutas durante todo el año, cultive especias para cocinar y para uso medicinal, e implemente la técnica de rotación de cultivos y la plantación complementaria para aprovechar al máximo su huerto.

5. **Elegir una Mascota Apropiada** – es habitual que los *homesteaders* tengan como mascota un perro grande, no solo porque aporta compañía sino también protección para usted mismo y sus animales. Opcionalmente puede tener también gatos; mantendrán alejados de su huerto a roedores y serpientes.

6. **Criar Animales Domésticos** – las gallinas son increíblemente fáciles de mantener, y proporcionan huevos y carne. Los conejos también son una buena opción; si se crían correctamente pueden ser una gran fuente de carne y piel. Los gansos y los patos son otra excelente opción, y si tiene suficiente tiempo y espacio, considere una vaca o dos, cabras, ovejas o incluso un cerdo. Todos ellos le aportarán alimentos y otros derivados que lo ayudarán en su estilo de vida sostenible.

7. **Herramientas y Armas** – un cuchillo es imprescindible ya que presenta una gran versatilidad y puede necesitarlo en multitud de ocasiones. Tenga en cuenta que también tendrá que trabajar en casa, por lo que necesitará varias herramientas: destornilladores, sierras, martillos, clavos, tornillos, etc. Y no olvide las armas: un rifle para la caza y la seguridad es imprescindible, junto con mucha munición.

8. **DIY** – aprenda a fabricar algunos básicos para su hogar como ropa, jabón, velas, etc. De esa manera, podrá disponer de ellos sin depender de nadie más.

9. **No Desperdicie Nada** – la gente tiende a tirar comida y agua porque son provisiones fáciles de conseguir en cualquier momento, pero cuando se lleva un estilo de vida autosuficiente, no se puede hacer esto. Se debe utilizar cada huevo, trozo de carne, verdura, piel, etc. Ahorre todo el agua que pueda, aproveche cada centímetro de su jardín y nunca desperdicie nada que pueda resultar útil.

Estos son los conceptos básicos. Para comenzar una vida autosostenible puede empezar por hacerse con un pequeño huerto. No tiene que cultivar todo desde cero: intente conseguir esquejes de otros y apueste por cultivos que puedan volver a sembrarse de nuevo y le aporten una mayor producción cada año.

Algunos ejemplos son:

- **Frambuesas** – estos arbustos frutales presentan nuevos brotes cada año. Una sola planta puede convertirse rápidamente en toda una hilera, pero tenga en cuenta que deberá eliminar las más viejas cada cierto tiempo.

- **Fresas** – la de la fresa es una planta rastrera que se enraíza a sí misma, haciendo crecer nuevas plantas. Sin embargo, cuantos más tallos deje crecer, es menos probable que tenga mucha fruta, así que corte algunos o trasplántelos y véndalos / cámbielos.

- **Sauces** – si estos crecen en su área, simplemente corte un tallo nuevo, póngalo en agua y espere a que broten las raíces. Con este proceso, no le llevará mucho tiempo hacer crecer algunos árboles.

- **Álamos** – estos dejan caer tallos nuevos constantemente y se reproducen muy rápido.

- **Patatas** – si ha comprado un saco de patatas y tiene algunas de sobra, déjelas crecer y luego póngalas en tierra. Incluso puede cultivarlas en macetas en el interior, siempre que reciban luz natural y no se congelen.

- **Especias** – la mayoría son bastante fáciles de cultivar y únicamente requieren desenterrar un poco de la planta y trasladarla a otra tierra.

Energía Solar y Otras Opciones Energéticas

Si va a optar por vivir al margen del sistema de suministros públicos y llevar un estilo de vida autosuficiente, deberá cerciorarse de elegir la fuente energética correcta. Es natural sentirse confundido al principio y no saber por dónde empezar, siendo lo más habitual elegir la energía solar. Y no crea que debe abandonar su ciudad o municipio para llevar una vida autosostenible; gracias a los últimos avances tecnológicos hay una carta variada de opciones renovables que se pueden adaptar a cualquier hogar.

A continuación, puede descubrir cinco opciones realistas de energías renovables para vivir de forma autosuficiente, siendo la primera opción la más extendida:

Energía Solar

Usando energía solar puede suministrar su hogar con bastante facilidad. La mayoría opta por un sistema de energía solar que consta de paneles fotovoltaicos, baterías y un inversor. Con una instalación correcta, estos pueden proporcionar mucha energía, especialmente si vive en una zona soleada. No tienen partes móviles y duran bastante tiempo sin necesidad de reparación. La desventaja es la inversión que requieren. De hecho, casi nunca es rentable hacer funcionar una vivienda entera con energía solar, y en este punto es importante tener en cuenta la exposición solar – algunas áreas no reciben tanta como otras. Por estos motivos, para la mayoría de las personas, la energía solar es parte de su fuente energética, pero no la única.

La mayoría de la gente no coloca placas solares en el techo por dos razones: no es barato y no es estético. También está el hecho de que necesitan limpieza de vez en cuando, y subir al techo no es lo más deseable. Algunas personas optan por tejas solares; son más pequeñas, parecen baldosas estándar y son resistentes. Si está en proceso de construir una vivienda autónoma, considere colocarlas en todo o parte de su techo, especialmente si es una casa de un solo piso. Tenga en cuenta que no son baratas y que un área de 2500 pies cuadrados costaría entre 20.000 y 50.000 dólares; si bien es posible que pueda obtener incentivos fiscales en algunas áreas.

Si lo mira a largo plazo, depender en exclusiva de la energía solar puede hacer que su factura de electricidad se reduzca a cero o, si depende parcialmente, puede reducir la factura en un 40-60%, y las tejas duran más de 30 años, así que, con el tiempo, se amortizará.

Turbina de Viento Doméstica

La eólica es una fuente de energía renovable y sostenible. Al instalar una turbina de viento doméstica puede generar una gran cantidad de energía para su sistema energético autosuficiente. Estos molinos, en la actualidad, son mucho más pequeños de lo que solían ser y se pueden instalar fácilmente en un área residencial.

Si tiene un acre o más de tierra y vive en un área ventosa, es una excelente opción a considerar. Un sistema estándar, que produce 10kW, costará entre 50.000 y 60.000 dólares. Es caro, pero puede ahorrar entre el 90 y el 100% de su factura mensual y se amortiza en seis años. Algunos países incluso ofrecen incentivos fiscales de hasta el 30%, así que asegúrese de consultar si hay subvenciones en su región. Sin embargo, tenga en cuenta que, si no recibe mucho viento en su zona, la turbina no se moverá, y por lo tanto no generará electricidad. Además, algunos componentes móviles se terminan desgastando y necesitan mantenimiento, sin mencionar que también son susceptibles de presentar problemas de funcionamiento.

Bomba de Calor Geotérmica

La energía geotérmica es una de las formas más limpias y sostenibles de energía térmica. Proviene de debajo de la superficie terrestre y su suministro energético es constante; durante todo el día, todos los días. Las plantas geotérmicas se utilizan, sobre todo, en la industria, pero en la actualidad es posible usar una bomba de calor geotérmica en casa. Dicha bomba es, a la vez, un sistema de calentamiento y refrigeración, que utiliza el calor del suelo para generar energía durante el invierno y utiliza la tierra como disipador de calor durante el verano. Puede instalarlo como un sistema aparte o integrarlo con su HVAC; a su elección,

Las bombas geotérmicas se comportan como un refrigerador – transfieren el calor de la tierra alrededor de su casa mediante tuberías llenas de agua o anticongelante. Estos tubos se conectan a la bomba, que se convierte en un calentador o un sistema de enfriamiento, dependiendo de las temperaturas externas.

Sistema de Electricidad Micro-Hidráulico

Si su propiedad cuenta con una fuente de agua corriente, como un arroyo o un riachuelo, puede considerar el uso de un sistema micro-hidráulico para producir energía. Los sistemas hidroeléctricos utilizan el agua que fluye de un lugar alto a uno bajo, para generar energía, y los sistemas micro-hidráulicos convierten los flujos de agua corriente en energía rotacional. Esta, a su vez, se convierte en electricidad mediante una rueda hidráulica, una bomba o una turbina.

Estos sistemas son mucho más fáciles de instalar y mucho más baratos que los que se basan en energía eólica o solar, pero el principal inconveniente es que solo pueden funcionar en condiciones específicas. Si no tiene esa fuente de agua corriente, no puede usar el sistema. Si tiene la suerte de poder usarlo, puede generar hasta 100 veces la energía que genera un sistema solar o eólico para el mismo capital inicial, lo que le brinda una fuente ilimitada de energía. Es más consistente y se necesitan menos baterías para el almacenamiento porque la fuente está recolectando energía todo el tiempo.

Sistema Híbrido Solar/Eólico

Si lo que desea es una completa autosuficiencia energética, lo mejor es optar por un sistema híbrido que aproveche al máximo las fluctuaciones propias del clima. Este tipo de sistema es mucho más fiable porque no depende de una sola fuente para generar electricidad. También resulta más económico porque los componentes de cada fuente son más pequeños que si utilizara un solo sistema.

Como aproximación, podría tener un sistema híbrido que genere 7-8 kWh por día por alrededor de 35.000 dólares; para el doble de potencia, el costo sube a aproximadamente 60.000 dólares.

Con los constantes avances tecnológicos en los sistemas de energía eólica, solar, hidráulica y geotérmica, ahora es mucho más fácil instalar una alternativa de autosuficiencia energética en casi cualquier lugar. Los sistemas son más pequeños y, aunque el diseño inicial es caro, se puede esperar que los precios se reduzcan a medida que pasa el tiempo.

Fuentes, Soluciones y Sistemas de Agua

Si bien la capacidad de generar energía es una de las prioridades entre los seguidores del estilo de vida autosuficiente, el suministro de agua debe ser igualmente importante. Se suele dar un uso indebido al agua; la mayoría de personas pueden llegar a usar la friolera de 100 galones de agua al día, gran parte de la cual, se desperdicia. En el momento que comience a llevar una vida sostenible, estos hábitos habrán de cambiar irremediablemente.

Tener una fuente de agua segura y fiable no es un plan opcional; es prioritario y necesario. Sin embargo, la mayoría de las personas no saben por dónde empezar ni qué deben considerar y, aunque contar con un estanque o un arroyo en su propiedad es excelente, no debe depender únicamente de él. La mejor opción es configurar un sistema con diversas fuentes para asegurarse de que nunca se quede sin este valioso elemento vital.

Aquí no encontrará información detallada sobre cómo crear dicho sistema, pero se podrá formar una idea de lo que puede usar y de los pros y contras de cada alternativa.

Fuentes de Agua Alternativas

Existen tres fuentes primarias para obtener el agua: subterráneas, superficiales, y precipitaciones. Lo ideal es tener acceso a todas ellas para garantizar un suministro suficiente

Agua de Pozo

Un pozo puede sacar agua de las profundidades del suelo, hasta 300 pies o más. Si ya tiene uno, fantástico, es un buen comienzo. Si no es así, considere tener uno. En lugar de utilizar una bomba eléctrica para extraer el agua, utilice energía eólica o solar.

Pros

- Una fuente fiable de agua fresca

- Si es lo bastante profundo, el agua no se helará en invierno

- Agua relativamente limpia, aunque deberá filtrarla antes de beberla

Contras

- Se requiere energía para extraer el agua, ya sea manual o cualquier otro sistema de bombeo

- Es una lotería – puede que no encuentre agua en su área

- Es caro, unos cuantos miles de dólares

- El agua podría estar contaminada, especialmente si se encuentra en un área de industria fracking (fracturación hidráulica).

Recolección de Agua de Lluvia

La lluvia es agua gratuita y debe recolectar la mayor cantidad posible. Asegúrese de tener suficientes bidones de almacenamiento para recolectar y almacenar la lluvia, y disponer de agua suficiente en época de sequía. En general, el agua de lluvia es limpia, blanda y no contiene ninguno de los productos químicos del agua de servicio público, ni el exceso de minerales que se encuentran en el agua subterránea.

Pros

- Es un sistema fácil de practicar
- Es agua limpia y gratuita, siempre que tenga una superficie impermeable para que aterrice. Tenga en cuenta que los techos de asfalto pueden filtrar productos químicos al agua

Contras

- Algunas zonas tienen restricciones de recolección de agua de lluvia
- Debe tener una superficie impermeable para recolectar el agua y necesitará útiles de almacenamiento cerca del área de recolección.

Estanques

Los estanques tienen otras utilidades al margen de que los patos puedan nadar; también son una fuente alternativa de agua. No es recomendable usarlos como fuente principal, pero es un gran recurso que, llegado el caso, puede salvarle la vida y beneficiar a todos los seres vivos a su alrededor...

Pros

- Si ya tiene uno, son fáciles de mantener
- Se llenan con la lluvia y constituyen un hábitat fabuloso para animales y plantas

Contras

- El agua del estanque debe purificarse a fondo para su consumo

- Se necesita una bomba para trasvasar el agua a su lugar de almacenaje

- Trasladar el agua desde el estanque hasta su casa no es fácil

Manantiales

Los manantiales son una fuente maravillosa de agua limpia y fresca, y si tiene la suerte de tener uno en su propiedad, tiene una enorme ventaja.

Pros

- El agua está impecablemente limpia, es gratis, y una vez que se levanta la infraestructura necesaria a su alrededor, requiere de pocos cuidados

Contras

- Construir la infraestructura inicial para aprovechar el agua es un trabajo duro y puede que el área no sea muy apropiada.

- Pueden ser contaminados por los vecinos, deliberada o accidentalmente

Sistemas Sostenibles de Utilización de Agua

Una cosa es tener una fuente de agua y otra muy distinta almacenarla y utilizarla. Hay varios sistemas de almacenamiento que puede considerar:

Barriles de Lluvia

Puede comprarlos o puede fabricarlos a partir de barriles de alimentos.

Pros

- Si los instala debajo de una bajante, cuando llueva tendrá recolección de agua instantánea

- Por su tamaño pueden utilizarse en cualquier tipo de vivienda

- Instalados sobre una plataforma pueden proporcionar suficiente presión

Contras

- Los que se pueden adquirir tienen un límite de 55 galones y necesitará muchos de ellos. Puede disponerlos en serie y unirlos con tuberías de drenaje de desbordamiento. Cuando llueva, y el primer barril se llene, drenará al segundo, y así sucesivamente – cuantos más barriles, más agua recolectada.

Aljibes

Los aljibes se han utilizado durante millones de años y pueden ser ubicados sobre el suelo o debajo de él. Pueden estar hechos de casi cualquier material, incluso piedra, metal o ferrocemento. Si los ubica a una altura más alta que el grifo, tendrá un sistema de presión pasiva.

Pros

- Tienen una capacidad de almacenamiento de miles de galones

- Enterrados bajo tierra, el agua no se congelará

Contras

- Construirlos no es fácil

- Debe poseer conocimientos sobre su terreno

- Requieren de mucho espacio y también de altura, si desea presión

Cubos

Gran parte de la población mundial todavía usa cubos para transportar agua, y usted también puede hacerlo.

Pros

 • No requiere ninguna medida especial – solo asegúrese un cubo de repuesto

Contras

 • Necesita estar bastante en forma

 • Los cubos deben estar impecables

 • Debe usar cubos aptos para la alimentación

Cuándo se Debe Filtrar el Agua

Cabe pensar que esto es una obviedad y que toda el agua debe filtrarse y purificarse antes de poder beberla – pero no es así. Hacerlo cuando no es necesario es solo una pérdida de tiempo y de recursos valiosos. Esta es otra razón por la que debe tener un sistema de fuentes de suministro diversas, ya que le permite tomar las decisiones adecuadas para sus necesidades en cualquier momento. Todo lo que necesita determinar, en lo que respecta al agua, es qué es para consumo humano – el resto no importa.

Por ejemplo, para regar su jardín o para su ganado, el agua sin potabilizar estará bien. Los árboles son uno de los mejores filtros de agua que existen, y puede comprar un sistema que se valga de ellos para dicho fin.

El agua de lluvia sin filtrar o el agua de pozo también se puede usar para lavar la ropa – no tiene mucho sentido filtrar y purificar el agua para poner en ella la ropa sucia y el detergente. Para secarla, nada mejor como utilizar un tendedero a la luz del sol – la luz solar es el desinfectante de la naturaleza – y es posible que no tenga tiempo de recoger la ropa antes de que llegue una tormenta inesperada, lo que le dará a su ropa un lavado adicional con agua de lluvia.

Para cocinar, limpiar y beber, el agua debe filtrarse.

¿Cuánto Cuesta Ser Autosuficiente y Sostenible?

El dinero hace que el mundo gire, y realmente lo va a necesitar para comenzar un estilo de vida al margen del suministro público. Primero, es importante que salde cualquier deuda previa, luego necesita capital, y para responder a cuánto cuesta, es imprescindible analizar cada caso en particular porque depende de cuánto quiera hacer y qué tan lejos esté dispuesto a llegar.

Por lo tanto, es posible que algunas de las siguientes estimaciones no se apliquen a usted; céntrese en las que sí lo hacen y tenga en cuenta que son solo una guía aproximada.

Finca – 0 a 25.000 dólares (de media)

Puede tener la suerte de encontrar un terreno económico o incluso gratis, pero tenga en cuenta una cosa – quizás haya algún defecto oculto. Es posible que la parcela no esté bien y, a menudo, los terrenos de libre disposición vienen con una serie de condiciones (finalmente no son gratis).

Si está dispuesto a invertir lo necesario para obtener exactamente lo que desea, espere pagar más de 20.000 dólares por hasta cinco acres. Es posible que obtenga un mejor precio, así que no deje de comparar ofertas disponibles. Si tiene la intención de ser completamente autosuficiente, incluido el cultivo de alimentos, los estados que tienen el mejor potencial son:

- Arkansas
- California
- Florida
- Islas Hawaianas
- Kentucky
- Missouri
- Nueva Jersey
- Carolina del Norte
- Tejas

Vivienda – 0 a 150.000 dólares (de media)

Consulte y compare opciones y puede que incluso encuentre un terreno que ya tenga una casa. De lo contrario, debe tener en cuenta el acceso por carretera y el coste de construir la vivienda en el terreno. Si es inteligente y hábil, puede utilizar madera de su propia finca o ponerse en contacto con la comisión forestal local – a veces puede haber alguna empresa que le pague para que les permita limpiar sus tierras.

De lo contrario, necesitará un contratista; el coste promedio de una casa con armazón de madera en los Estados Unidos está entre 120.000 y 150.000 dólares. Si está dispuesto a pagar más, una casa de tierra compactada o tapial le costará alrededor de 200.000 dólares, y si su presupuesto es mucho menor, considere comprar una vivienda fabricada de una sola pieza por alrededor de 20.000 dólares.

Tenga presente que no le conviene endeudarse en este punto, así que comience poco a poco y siempre podrá prosperar con el tiempo.

Energía Eólica/Solar – 1.000 a 37.000 dólares (de media)

Garantizar el suministro de energía requiere un mínimo de un panel solar o una turbina eólica y un inversor. Esto cuesta alrededor de 1.000 dólares, pero solo obtendrá la electricidad suficiente para un pequeño congelador o un frigorífico. Agregue más paneles solares y turbinas – apueste por una combinación para asegurarse de tener siempre energía. Para alimentar una casa completa, necesitaría instalar un sistema por valor de 30.000 dólares.

Si no desea depender del suministro público, necesitará baterías de almacenamiento, las cuales pueden llegar a costar 300 dólares cada una. Un sistema de respaldo completo costará alrededor de 7.000 dólares y sus baterías deberán reemplazarse cada tres años aproximadamente. Opcionalmente puede consultar en algunas granjas locales – es posible que pueda obtener baterías usadas un poco más baratas.

Pozo – 5.000 a 20.000 dólares (de media)

Si tiene suerte, es posible que su tierra cuente con una fuente de agua dulce, aunque si utiliza agua de lago o arroyo, primero deberá purificarla y filtrarla. Si no hay agua dulce, necesitará un pozo, y eso implica perforar un agujero de grandes dimensiones y usar una bomba para sacar el agua. Cabe la posibilidad de que no tenga que cavar demasiado para encontrar agua, en cuyo caso será mucho más deseable que tener que descender a mayor profundidad.

La profundidad promedio es de 50 a 100 pies y debe contar con un gasto aproximado de hasta 100 dólares por pie. Después necesitará una buena bomba, que cuesta alrededor de 800 a 2.000 dólares, así como toda la fontanería y el trabajo eléctrico, y tanques de almacenamiento de agua, que cuestan entre 500 y 1.000 dólares cada uno.

Si desea más de un pozo, podría considerar comprar una plataforma de perforación hidráulica, cuyo precio ronda entre 10.000 y 15.000 dólares, pero si vive en una comunidad de

---

preppers o en un área donde abundan las viviendas autónomas, podría amortizarla excavando pozos para otros.

Sistema Séptico – 2-500 a 5.000 dólares (de media)

Si se le dan los cuidados y el mantenimiento necesarios, un sistema séptico puede tener una vida útil de hasta 40 años, y no cuesta demasiado dinero instalarlo. El mayor problema podría ser su tipo de suelo – si no drena bien, necesitará una fosa séptica más cara. Asegúrese de tratar esta cuestión cuando hable con los potenciales contratistas para el proyecto.

Inodoro de Compost – 100 a 5.000 dólares (de media)

Los inodoros de compost son imprescindibles, ya que transforman los desechos humanos sólidos en fertilizantes, de la misma manera que se descomponen las sobras de alimentos. Usan calor, oxígeno, bacterias aeróbicas y tiempo, y finalmente producen "humanure". Lo bueno es que se requiere poca o nada de agua, pero necesitan mantenimiento y conservación.

Considere adquirir una unidad autónoma por unos 2.000 dólares o construya la suya propia por tan solo 100 dólares por baño. Como alternativa, puede invertir alrededor de 10.000 dólares en un sistema centralizado que conecte varios inodoros y un compostador.

Sistema de Aguas Grises – 500 a 10.000 dólares (de media)

Los sistemas de aguas grises se utilizan para recoger el agua de la ducha, el fregadero, la lavadora y el lavavajillas para que pueda ser usada posteriormente en el jardín o para las cisternas de los inodoros. Estos sistemas varían según las necesidades particulares y dependiendo de si se instalan cuando se construye una casa o posteriormente.

Un sistema simple podría rondar los 500 dólares, mientras que un sistema más complejo, que recolecta todas las aguas grises, un sistema de filtración, y uno de almacenamiento podrían sumar 10.000 dólares o más.

Bomba de Calor Geotérmica – 7.500 a 20.000 dólares (de media)

Un sistema geotérmico extrae energía calorífica de unos ocho pies bajo tierra y la usa para calefacción en invierno y refrigeración en verano. Una vez más, el presupuesto de instalación dependerá del tamaño de su hogar, sus aislamientos, la cantidad de espacio disponible para el intercambiador de calor, y si la instalación se realiza pre o post construcción de la vivienda.

Huerto – 100 a 2.500 dólares (de media)

Para una familia de cuatro miembros se necesitan unos 1.000 pies cuadrados de tierra por persona para cosechar suficientes frutas y verduras. El gasto en semillas se estima alrededor de 100 dólares al año, pero una vez que comience a obtener producción podrá utilizar semillas de sus propias plantas.

También deberá colocar un cercado; le supondrá en torno a 1.000 dólares si utiliza malla de alambre tejido junto con malla gallinera – las mallas galvanizadas de simple torsión son más caras. Alternativamente, podría usar madera de sus tierras para construir un vallado. No olvide que deberá prever un sistema de riego – considere el sistema de aguas grises en este punto.

Si desea cultivar árboles frutales y frutos secos, uvas, y frutos del bosque, deberá hacerse con una variedad de ellos; prevea entre 15 y 100 dólares por arbusto o árbol. Es importante también que comience a fabricar compost que le servirá como abono para sus nuevas plantas.

Animales – 1.000 a 4.000 dólares (de media) + coste mensual promedio desde 300 dólares

Las gallinas son una de las especies más baratas de mantener, y normalmente se pueden conseguir por un precio máximo de 10 dólares cada una. Lo recomendable es contar con una gallina ponedora por persona. También necesita un gallinero – si dispone de madera de sobra úsela, pero compruebe que sea seguro, o podría comprar uno desde 150 dólares.

Un cerdo de crianza le costará un máximo de 3.000 dólares, y los cerdos para carne unos 100 dólares. Dos cerdos pueden alimentar a cuatro personas durante un año. También ha de contar con una pocilga que disponga de cercado y refugio, lo que supondrá algo más de 500 dólares. El gasto mensual para alimentarlos será de 50 dólares aproximadamente, aunque podría reducirlo si utiliza sobras de comida y del huerto.

Una vaca puede valer entre 1.000 y 3.000 dólares, dependiendo de la raza, y será suficiente para mantener a cuatro personas durante un año entero. Su alimentación supondrá 200 dólares al mes - nuevamente, puede usar sobras del huerto o procurarles pasto. Necesitará un acre de tierra por cada vaca y el vallado puede costar alrededor de 2.500 dólares, dependiendo de su tamaño.

Si decide comprar una vaca lechera se ahorrará dinero en leche, nata, queso, mantequilla, helados, etc., y podría optar por criar terneros por dinero o carne.

Dependencias Exteriores – 2.000 a 30.000 dólares (de media)

El coste de construir un invernadero variará según su tamaño. Si apuesta por uno de pequeñas dimensiones, podría conseguir un kit de iniciación por unos 750 dólares, pero si verdaderamente desea ir a por todas y cultivar verduras durante todo el año, prepárese para desembolsar unos 10.000 dólares. Opcionalmente, podría animarse a construir su propio invernadero utilizando materiales económicos o gratuitos.

El granero dependerá de las características que desee – almacenamiento de alimento, espacio para el equipo, establos, techos, suelos, electricidad, agua, y demás. Puede construir uno pequeño desde 10-15 dólares por pie cuadrado o puede optar por uno con estructura de acero por 8-10 dólares por pie cuadrado. Espere gastar un total de entre 10.000 y 20.000 dólares (de media).

El gallinero se puede levantar a partir de materiales sobrantes o se puede adquirir por un precio tan competitivo como 150 dólares para uno básico con capacidad para cuatro gallinas. Si busca algo un poco más especial, el presupuesto anterior podría transformarse en 1.500 dólares.

Si no tiene un granero y desea tener un lugar para mantener a sus gatos, puede fabricar casitas para ellos a partir de neveras portátiles por 100 dólares o incluso menos, o puede comprar una de madera por unos 350 dólares.

Finalmente, una bodega de raíces es una excelente forma de almacenar alimentos. Un sistema de barriles pequeño cuesta menos de 100 dólares; puede hacerlo tan grande como quiera – obviamente, cuanto más grande, más inversión requerirá.

Gastos de Mantenimiento

Después del desembolso que requiere construir una vivienda autónoma, ha de considerar el dinero que necesitará para mantenerla. Intente fijarse un presupuesto de 1.000 dólares al mes, aunque si es un *prepper* serio, tendrá la mayoría de estos elementos cubiertos:

- **Alimentación** – aun cultivando sus propios alimentos y disponiendo de ganado, necesitará hacerse con algunos extras, tales como arroz, pasta, harinas, etc.

- **Menaje** – bombillas, aceite para la calefacción, herramientas, productos de limpieza, papel higiénico, etc.

- **Gasolina** – sus equipos y vehículos necesitarán aceite y combustible.

- **Impuestos** – a menos que se halle en un escenario apocalíptico, necesitará abonar sus impuestos.

- **Seguros** – de automóviles, de salud, incluso necesitará asegurar su propiedad.

• **Cuidado de la salud** – este punto requiere una consideración especial: ya sea que tenga un seguro médico o ahorre dinero para emergencias, deberá destinar un presupuesto para esta cuestión.

En la última parte de esta guía, encontrará consejos de supervivencia en escenarios SHTF.

TERCERA PARTE:
SUPERVIVENCIA SHTF

10 Escenarios SHTF: Qué Esperar y Cómo Actuar

Mucha gente cree que los *preppers* se limitan a equiparse para los escenarios apocalípticos y no hacen más que acumular comida, agua, armas y elementos de supervivencia. La realidad es que solo un pequeño porcentaje de *preppers* caen en este estereotipo, y no es algo malo. Prepararse puede ser divertido y lo mantendrá ocupado.

Sin embargo, el *prepping* debería abarcar todos los tipos posibles de escenarios SHTF, no solo los escenarios TEOTWAWKI - El fin del mundo tal como lo conocemos -, y dichos estereotipos solo hacen que sea aún más difícil convencer a otros para que comiencen a prepararse.

El *prepping* se trata de planificar para sobrevivir, y eso implica, no solo escenarios apocalípticos y potencialmente mortíferos. Significa estar preparado para cualquier cosa, incluidos los diez escenarios mostrados a continuación, desde las dificultades financieras hasta el apocalipsis. Antes de comenzar a prepararse para el peor de los casos, asegúrese de cubrir primero los escenarios más realistas y probables; posteriormente podrá aprovechar eso para los más serios:

Uno – Dificultades Financieras

Puede pensar que tiene un trabajo estable y que sus finanzas están seguras, pero cualquier cosa puede pasar, y eso incluye una quiebra temporal o a largo plazo del sistema bancario.

Las dificultades inesperadas son peligrosas y pueden presentarse en múltiples formas – pérdida del trabajo, divorcio, enfermedad o lesiones graves, facturas por reparaciones sorpresa, etc. Cualquier imprevisto puede arruinar las cosas. A continuación, encontrará cómo prepararse para un escenario como este, y si nunca sucede, se beneficiará de tener un respaldo financiero para un escenario SHTF más grande:

- Hágase cargo de sus deudas y disponga de suficientes fondos para cubrir como mínimo seis meses de su sueldo. Puede hacerlo poco a poco – aumente ligeramente la cuota de sus deudas y trate de ahorrar algo de dinero cada semana o cada mes.

- Asegúrese de tener su seguro médico al día, así como sus seguros de vehículos, hogar, etc.

- Comience a almacenar alimentos y elementos básicos. Aprovisiónese con agua, alimentos y menaje suficientes para cubrir tres meses de sus necesidades familiares.

- Amplíe su red de amistades. Estar respaldado por una buena comunidad es la mejor manera de sobrevivir – puede hacer nuevos amigos en la iglesia, en su vecindario, etc. Construya relaciones fuertes que perduren en el tiempo. Ayude a otras personas cuando lo necesiten, y podrá esperar lo mismo de ellos.

Dos – Desastres Naturales (Menores)

Enfóquese en su zona de residencia – ¿Hay alguna tendencia a sufrir ciertos fenómenos naturales como terremotos, inundaciones, huracanes, tornados, tormentas de nieve, etc.? En caso afirmativo, estos serán los primeros escenarios que deberá cubrir con su plan *prepping* - la mayoría de la gente ve las noticias y se conciencia de cómo estos fenómenos empeoran año tras año. Para prepararse:

● Investigue. Consiga información acerca de los fenómenos más recurrentes en su área. Puede buscar en Google, contactar con la fuente meteorológica más cercana, preguntar a los lugareños – si algún suceso tuvo lugar en el pasado, es bastante posible que vuelva a ocurrir.

● Investigue más. Contacte con fuentes oficiales para averiguar cómo prepararse y cuáles son los planes de evacuación de emergencia en su zona.

● Prepare sus provisiones. Planifique para un mínimo de tres meses – si ha hecho bien sus deberes en el punto de dificultades financieras, ya tendrá este aspecto cubierto. Después, en base a lo duras que se tornen las circunstancias en su área, duplique sus provisiones. No lo demore; a la primera señal de desastre natural, las tiendas se quedarán sin stock rápidamente. Es recomendable, así mismo, que invierta en contenedores impermeables para almacenar sus existencias en un lugar alto, lejos del suelo.

● Asegúrese de que la evacuación de su propiedad es fácil de llevar a cabo y tenga un plan familiar a mano. Ante un escenario SHTF grave, la evacuación es la opción más probable. Compruebe que tiene combustible en su vehículo, combustible de repuesto, mochilas de emergencia con los elementos básicos, y copias de sus principales documentos en cada una de ellas. ¿Tiene mascotas? También necesitan una mochila de emergencia; no olvide incluirlos en sus planes.

Cuando Estalle el SHTF

• Asegúrese que dispone de un medio para estar al tanto de las últimas noticias. Y siga las recomendaciones oficiales en su zona – si estas sugieren una evacuación, hágalo. No pierda ni un solo segundo; si demora su salida podría quedarse atrapado. Si necesitase ser rescatado, colabore con los equipos de emergencia y evite obstaculizarlos.

Puede que encuentre los consejos anteriores bastante obvios, pero tome como ejemplo la historia de este *prepper*:

Él no era ningún principiante; había llevado un estilo de vida acorde al *prepping* durante años y sabía exactamente lo que debía hacer. Cuando estalló el SHTF y su localidad se inundó, se rezagó pensando que podría ser un héroe y salvar a la gente. Su forma de llevar la situación terminó interfiriendo con el buen hacer de los equipos de emergencia, impidió que otras personas evacuaran el área porque les dijo que tenía provisiones suficientes, y todos terminaron encaramados a su techo. Finalmente tuvieron que ser evacuados en helicóptero de salvamento; afortunadamente todos se salvaron, pero podría haber sido peor. Use el sentido común y no se haga el héroe.

Tres – Caída del Sistema de Suministros Públicos

Esto cubre un amplio espectro, pero, en resumen, se refiere a una interrupción sostenida en el tiempo, de una forma u otra, del sistema normal de suministros. Lo más habitual es que afecte al suministro eléctrico, y podría prolongarse durante varios días, dependiendo de la causa. Podría incluso tratarse de una escasez de combustible.

A pequeña escala, esto es bastante habitual en muchas áreas, sobre todo durante las tormentas; la electricidad casi siempre desaparece, y en zonas como Alaska o incluso Canadá, las nevadas pueden cortar el suministro durante semanas. Estas son las recomendaciones:

• Tener elementos de respaldo – combustible de sobra, un generador, y un suministro generoso de todos los básicos. Lo ideal es vivir acorde a la autosuficiencia energética, como ocurre en el *homesteading*, a partir de fuentes de energía renovables. No es una posibilidad factible para todos, pero por lo menos hay que contar con un generador y combustible.

• Contar con un medio de comunicación externa. Si el suministro se cae y no puede desplazarse muy lejos, ser capaz de comunicarse con otros es clave. Tenga un teléfono móvil con plena carga a mano – preferiblemente un modelo de los antiguos, cuya batería dura días con una sola carga. Si la comunicación telefónica falla, opte por la radio.

Cuatro – Disturbios/Violencia/Crimen

Lamentablemente este no es un escenario inusual – solo hay que echar un vistazo a las noticias para ver cuántos disturbios y niveles crecientes de delincuencia hay en la actualidad. ¿Podría verse envuelto en algo así? Sí, especialmente si reside en un área con una gran densidad de población. Esto es lo que puede hacer:

• Asegúrese de tener suficientes provisiones de comida, agua y elementos esenciales. Durante los períodos de disturbios, no querrá salir de su casa a menos que sea absolutamente necesario. Esté preparado para estar recluido por un tiempo.

• Organice un plan de vigilancia vecinal; esa es la primera y mejor defensa contra los disturbios y la violencia en su área. Eso no significa dejar de llamar a la policía cuando comienzan los problemas, sino cubrirse las espaldas unos a otros. Si las cosas se ponen particularmente feas, puede establecer un horario para que su calle esté vigilada en todo momento. Es recomendable tener una forma de comunicarse entre sí y hacer planes sobre qué hacer si los disturbios o la violencia llegan a su calle o si alguien intenta entrar en su casa.

● Establezca medidas de defensa y seguridad en su hogar, pero NO se vuelva paranoico y empiece a disparar contra cualquiera que se acerque - así es como se pierden vidas inocentes. Incluso si dispara a un auténtico criminal, podría dirigir la atención hacia usted en represalia. Si tener un arma le ayuda a estar más relajado, entonces tenga una, pero no la use a menos que sea absolutamente necesario. En su lugar, concéntrese en las medidas de defensa - un cable trampa conectado a una alarma de algún tipo a menudo disuade a los saqueadores y delincuentes de poca monta. Tenga un buen sistema de alarma y una forma de llamar para pedir ayuda si la necesita.

● También debe estar preparado para atrincherarse dentro de su casa en caso de que la situación se agrave. Coloque persianas sobre las ventanas, bloquee puertas y ventanas con muebles y manténgase alejado de estas en caso de un tiroteo - sin embargo, procúrese a usted mismo una vía de escape - aunque nunca una entrada principal y obvia.

Cinco - Colapso económico

Esto no es tan probable, pero ha sucedido y puede volver a ocurrir. Podría significar cualquier cosa, desde una depresión económica hasta una hiperinflación extrema. La situación conduciría a las dificultades financieras mencionadas en el primer escenario y no sería fácil conseguir suministros – en ese caso, las recomendaciones enumeradas en ese punto le resultarán útiles.

Si las circunstancias son más extremas, como el colapso de todos los sistemas financieros, cualquier dinero que se tenga en el banco no valdrá para nada, el comercio será imposible y se encontrará a sí mismo sin dinero ni suministros, en un mundo donde todo el mundo estará entrando en pánico.

A menos que se prepare adecuadamente, si la economía colapsa, lo más probable es que muera a causa de la violencia o la falta de lo básico, así que:

- Almacene alimentos, en grandes cantidades.

- Asegúrese de que puede fabricar y producir algunas cosas, como herramientas y alimentos, que pueda intercambiar. Si puede cultivar alimentos, hágalo - lo necesitará.

- Prepárese para defenderse usted mismo, a su familia y a su hogar.

Seis - Ataque cibernético

Esto es cada vez más probable a medida que pasan los años, dada la creciente oleada de ciberataques que se ven ahora. En un mundo que está altamente conectado, la falla total de las comunicaciones y los servidores sería un desastre total. ¿Qué pasaría si fallaran los satélites de comunicación, los dispositivos conectados e Internet?

Para empezar, la aplicación de la ley, la atención médica y el comercio se derrumbarían, acompañados de un pánico masivo. La mayoría de los gobiernos están preparados para algo como esto y probablemente recuperarían el control - finalmente. Sin embargo, las primeras semanas o meses serían un caos total, y depende de usted asegurarse la supervivencia. Así es como puede estar preparado:

- Así como un suministro adecuado de alimentos y otros básicos, asegúrese de almacenar su información. Esto se refiere a copias de su documentación más relevante, certificaciones, información de contactos importantes (escrita a mano, no almacenados en un teléfono), libros que contienen información útil a la que no tendrá acceso en línea, etc. También debe tener un libro de primeros auxilios actualizado y libros de supervivencia si puede - si no, imprímalo todo desde Internet y guárdelo en portadocumentos impermeables.

● Tenga una radio a mano. Si todos los satélites de comunicación colapsan, una radio tendrá un valor incalculable. No solo es su forma de mantenerse en contacto con los demás, sino que también es el método más probable que utilizará el gobierno para transmitir información. Considere la radioafición como *hobbie*; no solo es divertido, podría ser un salvavidas.

Siete – Terrorismo/Guerra

Hubo un tiempo en el que este era un escenario improbable, pero ahora, desgraciadamente eso ha cambiado. Este punto trata principalmente de terrorismo organizado o guerras a gran escala, no guerras nucleares – al menos no de momento –, sino bombas y armas en zonas urbanas, impidiendo los desplazamientos y comunicaciones.

Si bien puede pensar que este escenario es poco probable en su área, debe estar preparado igualmente y la única preparación posible, además de mantener sus suministros, es escuchar las noticias – sin embargo, NO tome todas las noticias como una señal de que la guerra va a estallar. Tenga clara una cosa: si va a suceder, lo sabrá.

Ocho – Superbacterias/Armas Biológicas

Este punto abarca desde un brote de ébola hasta el uso de ántrax y otras armas biológicas. La amenaza de las superbacterias es más probable que la segunda, sobre todo por el gran nivel de recursos necesarios para un arma biológica capaz de matar a toda una nación.

En general, la atención médica y los sistemas sanitarios modernos garantizan una buena cobertura para este tipo de amenazas, pero aun así pueden tener lugar; esto es lo que puede hacer para estar prevenido:

• Abastecerse con provisiones de agua potable. El agua contaminada es, a menudo, la causa de brotes de enfermedades y el vehículo de transmisión. Y, piénselo – si su objetivo fuese infectar a todo un país, ¿Qué mejor manera que contaminar el suministro de agua? Asegúrese de contar con una fuente de suministro independiente y un excelente sistema de filtración.

• Si puede, cuente con una habitación hermética con un buen sistema de filtración para garantizar que pueda respirar correctamente. De lo contrario, apueste por la forma tradicional y tenga máscaras de gas a mano – pero compruebe que la junta de goma está en buenas condiciones.

• Procure tener un excelente sistema de saneamiento por si falla el alcantarillado. Una fosa séptica le permitirá pasar por un tiempo, pero debe tener un respaldo en caso de que la situación se prolongue. Si tiene un refugio de emergencia, asegúrese de contar con una letrina de hoyo con suficiente profundidad, excavada lejos de su suministro de agua (hacia abajo) y lejos de su refugio. Además, asegúrese de tener un suministro adecuado de materiales de limpieza y desinfectantes, así como un plan de cuarentena en caso de que un miembro de su grupo entre en contacto con una superbacteria.

Nueve – PEM

Un pulso electromagnético (PEM) es una de las preocupaciones más recientes para los *preppers*. Un PEM es una enorme ola de energía que, en teoría, podría acabar con todos los dispositivos electrónicos. No es posible especular sobre la probabilidad de que esto suceda, y aunque una llamarada solar podría provocarlo, no es probable. Sin embargo, es algo que debe considerar, y los preparativos son los mismos que para un escenario de ciberataque o una caída del sistema de suministros.

Diez – Explosión Nuclear

A pesar de que el miedo a una explosión nuclear fue una vez un temor generalizado, especialmente durante la Guerra Fría, no lo es tanto en estos días. Sin embargo, con el aumento de las tensiones entre las superpotencias mundiales, la amenaza siempre está presente. Si tenemos en cuenta la cantidad de naciones importantes que usan energía nuclear, y el error humano como una posibilidad muy real, siempre existe la amenaza de otro Chernobyl.

Además, debemos considerar los ataques con misiles nucleares: Irán, Corea, Rusia, por nombrar algunos, son más que capaces y están listos para lanzar uno contra los Estados Unidos. Estas son las recomendaciones:

● Asegúrese de saber exactamente qué hacer en caso de una explosión nuclear. La principal prioridad es refugiarse y mantenerse alejado de las ventanas. Obviamente, sería ideal si tuviera su propio refugio nuclear, pero la mayoría de la gente no tiene uno.

El peligro más inmediato es la explosión – debe tener una habitación sin ventanas preparada con radio, agua, comida, mantas y kit de primeros auxilios. Su primera preocupación ha de ser cubrirse rápidamente oídos y ojos.

● Después de la explosión inicial, dispondrá de varios minutos para llegar a un refugio antes de que la lluvia radiactiva comience a golpear el suelo. En este punto puede tener a mano algunas pastillas de yoduro de potasio y tomarlas inmediatamente, aunque realmente no ofrecen gran protección.

● Manténgase en el interior y deje la radio encendida para posibles informaciones oficiales.

● Ha de contar con una mascarilla anti radiación por persona y una radio en cada refugio de emergencia – en caso de tener varios.

• Es recomendable tener un refugio para protegerse en el trabajo, en casa, y en varios puntos a lo largo de su ruta de desplazamiento. Disponga también de un medio de comunicación directa con familia y amigos.

• Construya un refugio si tiene la posibilidad. Puede ser algo sencillo en su propio hogar; no es necesario que corra con los elevados gastos de construir un refugio nuclear completo.

Aún queda otro posible escenario por analizar, aunque realmente radical. Es el TEOTWAWKI - acrónimo de "*The end of the world as we know it*" - o, en otras palabras, el colapso de la civilización. Esto supondría que el gobierno habría caído, junto con las leyes y el orden, y por supuesto los valores morales.

Ciertamente esto es bastante improbable, y si ocurre, no se alargará mucho en el tiempo. La raza humana tiene resiliencia, sin mencionar una sociedad mayoritariamente estable. A lo largo de todos los desastres registrados en la historia de la humanidad, la civilización nunca se ha derrumbado por completo, al menos no a largo plazo.

Dicho esto, todo es posible y debe estar preparado. Esto es lo que puede hacer:

• Estar preparado para todos y cada uno de los potenciales casos SHTF descritos anteriormente, con la peculiaridad de que deberá planificar para el largo plazo.

• Disponer de suficientes artículos para intercambiar y aprender todas las habilidades que puedan resultarle útiles. No podrá almacenar suficientes alimentos para toda la vida, pero puede aprender a ser autosuficiente.

• Aprender nuevos idiomas. Si la civilización colapsa, es probable que las personas viajen por todo el mundo buscando un lugar donde vivir. Incluso sin trenes, aviones o barcos, la mayoría de las personas encontrarán la forma de desplazarse, tal como se hacía hace muchos siglos.

● Saber cómo enseñar. Puede que ahora no tenga hijos, pero serán la forma principal de garantizar la supervivencia de la raza humana. Aprenda a enseñar a los niños todo lo que necesitan para sobrevivir – no solo habilidades de supervivencia, sino también idiomas, historia, literatura, prácticamente todo lo necesario para que la civilización vuelva a funcionar.

No puede prepararse para todos los escenarios, pero puede estar preparado para la mayoría de amenazas. Empiece de la forma más simple, preparándose para los desastres más probables en su área y vaya avanzando desde ahí; finalmente, estará preparado para casi todo.

Evacuación SHTF

Si usted reside en un área urbana con bastante densidad de población, probablemente sabrá que, a la hora de evacuar la ciudad en mitad de una emergencia, lo tiene más complicado que los habitantes de áreas rurales o despobladas – basta con echar un vistazo a las noticias para confirmarlo.

Por ejemplo, en 2015, Bélgica sufrió un confinamiento de emergencia durante varios días seguidos. Había tanques patrullando las calles y la gente se vio obligada a permanecer en sus hogares. ¿Por qué? Debido a un terrorista descontrolado, a raíz de los ataques de noviembre de 2015 en París.

En Fin de Año 2015-16, en Colonia, Alemania, tuvo lugar un asalto sexual masivo, con más de 100 mujeres interponiendo denuncias – todo durante la misma noche y perpetrado por un grupo de inmigrantes (confirmado).

Los disturbios y los ataques terroristas no son los únicos escenarios que pueden requerir que abandone el área, pero cualquiera que sea la situación, puede tener clara una cosa – la evacuación no será fácil. Una combinación de controles policiales, atascos de tráfico y disturbios dificultará la salida, y mientras que aquellos que viven en pueblos más pequeños o áreas rurales podrían hacer planes para permanecer en sus hogares, probablemente los habitantes urbanos no tengan esta posibilidad.

Lo recomendable es tener un plan de evacuación para que usted y su familia tengan asegurada la salida de una manera segura. El plan que elabore debe abarcar lo siguiente:

1. Análisis de su situación

Antes de comenzar a dibujar un plan, debe conocer su situación actual. Todos tenemos hogares y vidas familiares diferentes, y eso significa pasivos y activos diferentes. Algunas personas alquilan sus casas. Algunos viven en rascacielos. Hay quien tiene hijos, vive solo, tiene mascotas o padres ancianos que viven con ellos. Y sus ingresos pueden oscilar en un intervalo tan amplio que abarca desde 30.000 a 130.000 dólares al año.

Debe evaluar su propia situación, para saber cuáles son sus opciones; planificar correctamente ahora le ahorrará molestias más adelante, y garantizará que su plan de evacuación sea sólido. Algunas de las cosas que debe preguntarse son –

- ¿Cuántas personas va a cubrir el plan?
- ¿Hay niños pequeños, personas mayores, u otros grupos que presenten alguna dificultad?
- ¿Tiene mascotas?
- ¿Vive en una zona rural, periférica o urbana?
- ¿Dispone de algún sitio donde pueda refugiarse?
- ¿Tiene un medio para llegar allí?
- ¿Sabe cuál es el momento para evacuar?

Una vez respondidas esas preguntas, deberá contestar a estas cuatro adicionales

a. ¿Es NECESARIO evacuar?

Al trazar su plan, debe considerar si verdaderamente existe una necesidad real de abandonar su hogar. Muchas personas optan por permanecer en él y defenderlo. De hecho, muchos *preppers* le dirán que es preferible esta opción para muchos de los escenarios SHTF, aunque siempre habrá casos en los que no quede más remedio que evacuar. Use su criterio personal para determinar qué es mejor en su caso particular.

b. ¿CUÁNDO evacuar?

Quizás se ha fijado criterios o escenarios específicos para determinar si necesita evacuar o no, como por ejemplo optar por evacuar cuando los supermercados estén vacíos, sin posibilidad de reabastecimiento durante algún tiempo.

Lo importante es asegurarse de que esos criterios se definan claramente; luego, puede determinar CUÁNDO evacuar, en caso de que ocurra alguna de esas circunstancias. Si decide abandonar su propiedad apresuradamente, es posible que más tarde se arrepienta. Si, por el contrario, demora demasiado la evacuación, es posible que le resulte difícil salir de la ciudad; todos intentarán salir al mismo tiempo y las rutas de salida estarán obstruidas. Incluso puede ocurrir que los militares intervengan y cierren las carreteras.

c. ¿CÓMO evacuar?

Su plan de evacuación debe asegurar los siguientes aspectos:

● Cada miembro de su grupo necesita su propia mochila de emergencia, incluidas las mascotas.

● Todos deben llevar consigo ciertos elementos básicos, en todo momento – se sorprendería al comprobar cuántas herramientas de supervivencia puede llevar en su llavero o cartera: mini linterna, navaja multiusos, mini kit de primeros auxilios, elementos de defensa personal, silbato, e incluso algo para encender fuego.

• Necesita mapas del área. Marque en ellos cada ruta de salida claramente, y tenga en cuenta que las salidas principales estarán colapsadas probablemente; priorice en las salidas secundarias. Todos deberéis conocer al menos tres rutas de salida hacia vuestro destino de emergencia, incluyendo líneas eléctricas y ferrocarriles, sobre todo si necesita llegar a su refugio cuanto antes.

• Asegúrese un destino de emergencia cercano, entre unas 20 y 100 millas desde su hogar. Si planea hacer uso del coche, puede considerar una distancia mayor, pero si va a evacuar a pie, es preferible no tomar grandes distancias. También puede optar por bicicletas – será duro, pero podrá desplazarse más lejos que a pie. Si tiene la opción de dirigirse hacia un amigo que se encuentre en un área libre de peligro, asegúrese de que cada miembro del grupo conozca su posición y disponga de su teléfono y dirección – esa persona puede ser también su contacto de emergencia

• Procure que el vehículo tenga suficiente combustible, medio depósito como mínimo. Nunca menos de la cantidad necesaria para llegar a su destino de emergencia.

• Es recomendable hacer simulacros de evacuación con todo el equipo – varias veces. Llegado el momento, no querrá ningún contratiempo.

Consejos adicionales

Además de los aspectos ya mencionados, puede considerar estas recomendaciones:

• Preferiblemente evacue durante la noche. Si el escenario SHTF es una guerra o una revuelta, los momentos más tranquilos suelen ser entre las 2 am y las 5 am. Hay menos posibilidades de encontrar un atasco, pero tenga cuidado con los puestos de control policial o militar.

- Si se encuentra ante una situación de total emergencia y necesita apresurarse, decida inmediatamente si usar el coche o ir a pie/bicicleta. Prepárese para abandonar su coche cuando sea necesario, y continuar su travesía a pie.

- Tenga suministros y objetos de valor listos para meter en el coche en el momento de evacuar.

- Guarde una mochila de emergencia completa en el coche – independientemente de la mochila que cada miembro del grupo debe preparar.

- Sea discreto al marcharse – la clave es permanecer invisible. Si abandona su hogar durante la noche, intente no usar linternas. Si sale de día, evite llamar la atención.

- No puede salvar a todos, así que no lo intente, a menos que disponga de suficiente espacio y provisiones. Es duro de decir, pero si intenta ser un héroe, puede que esté arriesgando su propia vida y la de otras personas.

- Cuente con que su familia se separe en algún momento. Asegúrese de que todos dispongan de un walkie-talkie, un teléfono móvil con baterías extras, un cargador, mapas del área, y conozcan los puntos de encuentro, así como la localización de su refugio de emergencia y como llegar hasta allí, independientemente del medio de transporte.

¿DÓNDE dirigirse?

No todo el mundo tiene la posibilidad de contar con un refugio de emergencia adecuado. Si es su caso, no trate de dejar su casa, a menos que sea la única opción, y sea más seguro aventurarse a la naturaleza que permanecer en el hogar o en zonas próximas a la carretera. Solo usted puede determinar las circunstancias que le empujarán a tomar esta decisión.

Si no tiene ninguna alternativa para refugiarse, considere un parque nacional o una zona de acampada cercana a su lugar.

¿Es posible estar 100% preparado?

Realmente no, pero eso no significa que deba relajarse con los preparativos. Todo lo que haga contribuirá a que esté preparado para un escenario SHTF, incluso si solo se trata de comprar una radio a cuerda o hacer un curso de primeros auxilios. Lo importante es que empiece y que vaya avanzando hacia su plan poco a poco. Y recuerde – los conocimientos y la planificación son mucho más poderosos que cualquier dispositivo de supervivencia que pueda encontrar en internet.

Cuidados Médicos Durante el SHTF

Si hay un error generalizado entre los *preppers,* es no disponer de un botiquín de primeros auxilios apropiado. La mayoría piensa que estará cubierto con el de 30 dólares de la farmacia o el hipermercado, pero no será suficiente en un escenario de supervivencia, en ningún caso.

La única forma de disponer de todo lo necesario es comprar un botiquín profesional o hacer el suyo propio. Un botiquín enfocado a situaciones de supervivencia debe constar de dos cosas: profundidad y amplitud – y los que se pueden adquirir en tiendas no ofrecen ninguna de estas características.

¿Pero qué quiere decir profundidad y amplitud? Por amplitud se entiende, tener el equipo adecuado para tratar muchas lesiones diferentes, desde traumatismos leves hasta graves; en cuanto a profundidad, significa poder hacer frente a varias lesiones graves diferentes.

Debe tener en cuenta que es probable que las instalaciones médicas estén desbordadas, y no puedan funcionar correctamente. Es posible que ni siquiera pueda llegar a un hospital o clínica, y tener ese botiquín completo puede salvar una vida o dos.

Lo más importante que debe recordar es que los primeros auxilios son solo eso y, a menos que sea un cirujano o un profesional capacitado, todo lo que puede hacer con las lesiones graves es evitar que empeoren. Y algunos suministros médicos, en manos equivocadas, pueden hacer más mal que bien. Recuerde que nunca debe intentar ningún tipo de asistencia para la que no esté capacitado.

Su Botiquín

Para empezar, debe decidir la bolsa en la que guardará su equipo. Ha de ser una en la que su kit pueda organizarse correctamente, tal vez un maletín con varios compartimentos. Una caja grande para aparejos de pesca es ideal porque hay muchos espacios organizativos para artículos pequeños y grandes.

Después hay que abordar el contenido; evite adquirir suministros baratos, opte por equipo de alta calidad porque pueden marcar la diferencia cuando necesite tratar a alguien.

Higiene

Este es uno de los aspectos básicos – muchas heridas no son mortíferas, a menos que un órgano importante esté afectado. Por lo general, las personas mueren a causa de heridas si se desangran o la herida se infecta, y aunque un vendaje puede detener el sangrado, no detendrá una infección. Es por eso que las heridas y el área que las rodea deben mantenerse limpias, y eso significa, evitar que entren en contacto con bacterias. Asegúrese de limpiarse bien antes de tratar una herida, y asegúrese también de protegerse ante cualquier enfermedad infecciosa que pueda tener el herido.

- **Gel antibacteriano** - limpie sus manos antes de tocar una herida

- **Guantes esterilizados** – debe ponérselos para tratar la herida

- **Mascarilla** – para evitar exhalar gérmenes sobre la herida

- **Máscara RCP** – le protege a usted y al herido, en caso de que se requiera RCP

Heridas Superficiales

Son las que tratará en la mayoría de ocasiones, y podrían ser algo leve, como un corte, o algo más serio como la amputación de un miembro. El objetivo es detener la hemorragia y proteger la herida.

- **Jeringa de irrigación** – para limpiar la herida antes de vendarla. Rocíe agua potable y limpia sobre la herida

- **Toallitas antisépticas** – para limpiar la herida y el área circundante (necesitará un buen stock de estas)

- **Ungüento antibacteriano** – para prevenir que las bacterias provoquen una infección

- **Puntos de aproximación** – para cerrar heridas abiertas, protegerlas, detener el sangrado y fomentar la curación

- **Agente coagulador** – algo como QuickClot or Celox, diseñado para ayudar a coagular la sangre. Algunos vendajes vienen impregnados con esto, o puede comprar cristales granulares.

- **Tiritas** – que sean flexibles, para que no se caigan fácilmente

- **Vendajes para nudillos** – los nudillos no son fáciles de vendar; estos vendajes cumplen su cometido manteniendo la herida limpia y se mueven con los dedos.

- **Vendajes para las yemas de los dedos** – otra área complicada de vendar

- **Vendas grandes** – gasas estériles; procure tener varias de diferentes tamaños para las distintas heridas. Estas no contienen adhesivo

- **Esparadrapo** – para mantener las vendas en su sitio

- **Apósito tipo SWAT-Tourniquet** – excelente como torniquete, y cuando se aprieta a medias funciona también para reducir el sangrado

- **Vendaje israelí** – un vendaje de combate con un agente coagulante y una envoltura para mantenerlo en su lugar; también se puede utilizar como vendaje compresivo

Huesos Rotos

Por lo general, se trata de fracturas o fracturas compuestas, la última de las cuales se identifica por el hueso que sobresale a través de la piel. En estos casos se debe tratar tanto la fractura como la herida, mientras que en una fractura simple solo se debe tratar el hueso.

- **Férulas** – puede usar cualquiera, pero una férula SAM (férula moldeable reutilizable) es una de las más sencillas; fabricada en aluminio suave y gomaespuma, se puede cortar a la medida deseada y moldear

- **Vendas Elásticas** – es posible que las conozca como vendas Ace. Son necesarias para mantener la férula en su lugar, tratar esguinces y lesiones de ligamentos

- **Férula de combate** – es otro tipo de vendaje; de forma triangular y usado para hacer cabestrillos

Instrumental Médico Indispensable

Además de suministros médicos, necesitará instrumental, tanto para lesiones simples como graves. Incluso si no está capacitado en el uso de herramientas médicas, estas pueden marcar la diferencia:

- **Tijeras médicas** – para cortar vendas y ropa (asegúrese un buen par de tijeras)

- **Pinzas de punta fina** – para quitar grava y astillas

- **Lupa de joyero** – una pequeña lupa que la cuenca del ojo sostiene en su lugar, útil para encontrar astillas finas, espinas, etc.

- **Hemostatos** – si tiene que trabajar con una extremidad amputada, los necesitará para cerrar las venas y evitar el sangrado

- **Torniquete** – el que se puede utilizar con una sola mano es mejor, por si tuviera que aplicárselo a usted mismo

- **Estetoscopio** – no es imprescindible

- **Tensiómetro de muñeca** – si la presión arterial baja podría indicar una hemorragia interna

- **Glucómetro** – mide el azúcar en sangre; úselo en personas temblorosas, que no piensan con claridad, que de repente pierden fuerzas o sienten que se van a desmayar

- **Termómetro** – un aumento de la temperatura indica fiebre y una posible infección. Los termómetros digitales de oído o las tiras medidoras para la frente son las mejores opciones

- **Eyecup (lavado ocular)** – para limpiar los ojos con suero salino o agua esterilizada

Otros Elementos Útiles

Hay muchas cosas que podría incluir en su equipo y quizás se pregunte ¿Dónde detenerse? Puede llegar tan lejos como quiera, pero estos son los imprescindibles:

- **Hielo instantáneo** – útil para reducir la hinchazón en esguinces o cualquier lesión que no sangre; también puede usar spray de hielo

- **Tegaderm** – un apósito para usar sobre quemaduras y erupciones. Mantiene las pomadas en su lugar

- **Benjuí** – se utiliza para limpiar alrededor de las heridas y asegurar que el vendaje se pegue.

- **Lidocaína** – es un anestésico local. Se puede inyectar o aplicarlo sobre la piel para reducir el malestar

- **Antiinflamatorios** – como ibuprofeno o diclotard, cualquiera de ese tipo funcionará

Consejos Para Tratar Heridas

Intente abordar cada herida como si fuera potencialmente mortal. Si memoriza las siglas CSID, podrá recordar el tratamiento básico para heridas y laceraciones:

C = Cantidad de sangrado

¿La herida afecta a una vena o a una arteria? La sangre arterial es más brillante y sale bombeada hacia fuera. Debe detenerse con un torniquete o vendaje compresivo. Si no tiene uno, puede colocar una gasa estéril sobre la herida y aplicar un poco de presión – si el herido puede colaborar, pídale que aplique la presión. Eleve la herida si es posible, y ponga un vendaje elástico sobre ella – comience desde donde la herida está más cerca de los dedos de los pies o de las manos, y avance hacia el corazón. Esto evitará que la sangre se acumule en las extremidades del paciente. No apriete más la venda para obtener más presión – aplique medio giro, envuélvalo sobre sí mismo, sobre la herida, y continúe vendando.

S = Shock

Muchas lesiones crean conmoción, incluso shock neurogénico en algunos casos. Tranquilice a la persona, manténgala caliente, y tan cómoda como pueda. No diga nada banal, como "todo va a salir bien". Sea un apoyo y manténgase fuerte; cuanto más pueda mostrarle a la persona que la está ayudando, más se concentrará su cuerpo en la curación sin estrés, adrenalina y otros factores que pueden afectar negativamente.

I = Irrigar

Si la herida no es arterial ni pone en peligro la vida, acceda a ella y límpiela lo más rápido posible para evitar que los gérmenes penetren.

D = Daño funcional/adicional

Si puede limpiar la herida, inspecciónela para ver si hay algún daño funcional. ¿Se han roto vasos sanguíneos, tendones o nervios importantes? ¿Puede la persona mover los dedos de las manos o de los pies? Si hay algún daño, también debe tratarlo. Si, por ejemplo, se ha roto un tendón extensor, se requiere cirugía para curarlo. Usted no puede hacer eso. Si solo se trata de un corte, debe evitar que la persona extienda el dedo específico para que pueda sanar.

Puntos de sutura

Muchas personas creen que pueden coser una herida, pero en entornos salvajes, remotos o posteriores a una catástrofe, esa práctica es irresponsable. En muchas heridas simples, la sutura no es necesaria y puede causar una infección. Use las vendas para mantener la herida limpia, pero déjela curar por sí sola. Si puede, use puntos de aproximación, y un vendaje tenso también es apropiado para algunas heridas. A menos que esté médicamente cualificado para hacerlo, manténgase alejado de las suturas.

Infección

Es probable que este sea el mayor problema al que se enfrentará en situaciones posteriores a un desastre. Tratar una infección es más fácil si puede detectarla pronto, lo que requiere conocer los signos de alerta. Todas las heridas presentan un poco de inflamación e infección casi siempre. Algunos de los puntos destacables a buscar son:

- **Enrojecimiento** – la inflamación causa una cierta cantidad de enrojecimiento, pero la infección crea mucho más porque la mayor parte de los tejidos están inflamados. A menudo también será un tono de rojo mucho más brillante.

- **Hinchazón** – la inflamación causa algo de hinchazón, pero la hinchazón causada por una infección generalmente es debida al pus y, si se toca, causa un dolor agudo. Estos suelen drenar por sí mismos

- **Dolor** – la inflamación causa dolor, pero la infección causa dolores más agudos. Es características de las infecciones, sentir dolor mientras esa parte del cuerpo está en reposo o sentir un dolor mucho más agudo al moverse después de estar quieto por un tiempo. El dolor causado por una infección puede estar localizado o puede estar más extendido que el dolor por inflamación, que tiende a estar solo alrededor del área de la herida.

- **Pus** – también llamado exudado, el pus indica una infección y no una inflamación

- **Fiebre** – Este es uno de los indicadores más serios de que la infección está presente y ha ido más lejos de lo que usted desearía en un escenario SHTF

- **Rayas** – si ve rayas rojas siguiendo las venas, indica una infección grave

Cómo Tratar las Infecciones

Por lo general, las infecciones se tratan con antibióticos, pero es posible que no tenga ninguno a la mano, o que no tenga el que necesita. ¿Qué pasa si, después de administrar antibióticos, la infección no responde? O también puede darse que no tenga la experiencia para reconocer si el antibiótico está funcionando o no, o si la persona tiene una reacción alérgica a él.

Lo primero siempre es limpiar la herida. Si la infección se instala dentro de los tejidos dañados, nuevamente, límpielos a fondo. El carbón activado es una de las mejores formas, por no decir la mejor, de limpiar heridas infectadas, y puede comprarlo en forma de comprimidos, cápsulas o polvos sueltos.

El Uso del Carbón

Añada agua potable limpia (destilada preferiblemente) al carbón y forme una pasta – los comprimidos se pueden triturar y las cápsulas se pueden abrir y vaciar. El carbón no se mezcla bien con el agua y, cuando se usa en una herida, tiene la capacidad de recoger cualquier cosa con la que entre en contacto. Básicamente, el carbón vegetal es una microesponja que limpia y absorbe bacterias, toxinas y tejidos muertos que alimentan a las bacterias.

Una vez que lo haya mezclado, extiéndalo sobre la herida y a su alrededor. Coloque una gasa encima y asegúrela para que no se mueva. En unas pocas horas, debería comenzar a ver cambios en el estado del tejido. Cambie la mezcla de carbón cada pocas horas hasta que la infección desaparezca.

Es necesario que comprenda, que sus habilidades y conocimientos jugarán un papel más importante que el equipo de su botiquín de primeros auxilios. No importa lo que haya en su botiquín – lo importante es saber usarlo apropiadamente. Todos los miembros de su equipo deberían acudir a un curso de primeros auxilios y continuar entrenándose posteriormente. Y usted debería tener siempre a mano un manual de primeros auxilios actualizado.

Lista Adicional de Equipo de Primeros Auxilios

Puede combinar esta lista con la anterior:

- Gel para manos antibacteriano
- Guantes esterilizados
- Mascarilla
- Máscara RCP
- Jeringuilla de irrigación
- Toallitas antisépticas
- Ungüento antibacteriano
- Puntos de aproximación
- Coagulador – QuickClot, Celox, etc.
- Tiritas
- Vendas para nudillos
- Vendas para yemas de los dedos
- Vendas grandes
- Esparadrapo

- SWAT-Tourniquet
- Vendaje israelí
- Férulas
- Vendas elásticas
- Férula de combate
- Cizallas médicas
- Pinzas de punta fina
- Lupa
- Hemostatos
- Torniquete
- Estetoscopio
- Tensiómetro
- Glucómetro
- Termómetro
- Eyecup
- Hielo instantáneo
- Tegaderm
- Benjuí
- Lidocaína
- Antiinflamatorios
- Carbón en polvo, comprimidos o cápsulas

La Mochila de Emergencia

La mochila de emergencia es un elemento que juega un rol esencial en su plan de supervivencia para un escenario SHTF, y es simplemente un conjunto de básicos que le ayudarán a arreglárselas en caso de que necesite abandonar su hogar. Es un kit de supervivencia todo en uno, y cada miembro de su familia *prepper* debe tener su propia mochila, incluido su perro. Estará diseñada para ser transportada y mantenerlo con vida durante al menos los tres días posteriores a un desastre SHTF, pero para asegurar esto, debe contener ciertos elementos imprescindibles.

Asegúrese una mochila de emergencia con todos los extras, y cuando todo el mundo esté en pánico, corriendo como pollos sin cabeza, usted les sacará una enorme ventaja y podrá dormir, garantizar el bienestar de su familia (con seguridad, comida, agua, medios para cazar), lavarse y comunicarse. Todo se reduce a lo que ponga en las mochilas de emergencia y lo preparado que esté.

Si el *prepping* es nuevo para usted, quizás esté un poco preocupado, especialmente porque necesita varias – una por cada miembro de su grupo, y al menos una de repuesto en el coche. En el caso de disponer de un refugio de emergencia, ponga otra mochila en él – puede marcar la diferencia.

La mayoría de los *preppers* modifican continuamente sus mochilas para asegurarse de que tienen todo lo necesario. Lo más difícil es saber por dónde empezar, por eso vamos a repasar el equipamiento básico que debería contener – una vez que incluya estos imprescindibles, puede ajustar su mochila tanto como desee.

1. Agua

El agua es un básico para la supervivencia. Solo podemos pasar tres días sin beberla, y ante un escenario de emergencia, se convierte en uno de los productos más valiosos.

Como mínimo, necesita un litro por persona y día – con el objetivo de tres días, cada mochila necesita al menos tres litros de agua. También necesitará un sistema de purificación de agua para limpiar otras fuentes de agua con las que se encuentre. Puede ser una pequeña tetera de camping y algunas pastillas de yodo o un filtro de agua completo. Debería disponer de un cubo plegable en su mochila, para que pueda recolectar agua fácilmente, y un paquete o dos de filtros de café para que su sistema de filtración dure más tiempo.

2. Alimentos

Para cubrir los tres días, puede apostar por barritas energéticas y comidas liofilizadas – requerirán de agua hirviendo. Estos productos no pesan casi nada y tienen una ventana de consumo muy amplia. A largo plazo, su refugio de emergencia necesitará más provisiones.

3. Ropa

La ropa que debe incluir en su mochila es la misma que necesitaría para irse un fin de semana de senderismo:

- Zapatos o botas resistentes
- Pantalones largos (no vaqueros)
- Dos pares de calcetines (no algodón)

- Dos camisetas – una de manga larga y otra de manga corta
- Un abrigo impermeable y cálido
- Ropa interior larga térmica
- Un gorro
- Un pañuelo

Esta lista podría ampliarse, y muchos preppers incluyen al menos el doble de la cantidad citada – aunque así debería estar bien para tres días. Una puntualización a destacar: llene su mochila con ropa acorde a las condiciones meteorológicas.

4. Campamento

Para los tres días necesitará un refugio seco y cálido donde poder dormir:

- Una tienda de campaña o una lona de fácil montaje
- Una lona para el suelo y una esterilla para dormir
- Un saco de dormir

Si se decide por la lona, en lugar de la tienda de campaña, no se olvide de transportar todo lo necesario para su montaje.

5. Botiquín

Como ya se ha mencionado anteriormente, el botiquín de primeros auxilios es un elemento fundamental en su mochila. Es recomendable que conforme el suyo propio – evite comprar uno básico porque no será de ninguna ayuda. En el mejor de los casos, los instrumentos serán de mala calidad, y en el peor, no dispondrá de lo que necesita, pero estará transportando un montón de trastos inútiles.

Hacer su propio botiquín es muy beneficioso también porque le permite familiarizarse con el equipo y como usarlo, algo esencial en una situación de emergencia.

6. Equipamiento Básico

Estas son las cosas de las que no puede prescindir, pero que no entran en ninguna otra categoría. No tiene que seguir la lista al pie de la letra, solo úsela como una idea de lo que debe tener.

- Como mínimo dos elementos de protección para resguardarse de la lluvia – un poncho impermeable, abrigo, lona, etc.

- Al menos tres formas de encender un fuego

- Algo para cortar leña

- Una estufa de mochila pequeña, combustible y algo para el hervir el agua para las comidas

- Un mínimo de dos linternas potentes y bastantes pilas extras

- Una navaja de supervivencia

Hay otras muchas cosas que podrían sumarse a esta lista, pero estos y los detallados anteriormente son los básicos que debería considerar.

7. Armas

Podría encontrarse en una situación donde las leyes no se apliquen y, en momentos de desesperación, la gente hace cosas desesperadas. Prepárese para lo peor y asegúrese la opción de defenderse y defender a su familia. Debe tener un arma de fuego de algún tipo, una que se sienta cómodo usando – y que tenga cierta práctica usando también. Sin embargo, no se obsesione con la vigilancia; use el arma bajo condiciones estrictamente necesarias.

También puede utilizar su navaja de supervivencia para defenderse, si lo necesita, e incluso portar un garrote o un bastón grande puede ser un disuasivo. En resumen: cuente con varias alternativas para defenderse, y esté preparado para usarlas en una situación desesperada.

Como colofón, se dispone a leer algunos consejos útiles para sobrevivir en la naturaleza.

Recomendaciones Útiles para Sobrevivir en la Naturaleza

El entorno salvaje es un lugar inhóspito para permanecer un día – no hablemos de varios días, semanas o meses. Su fuerza mental y física se pondrá a prueba hasta sus límites, y no será fácil sobrevivir. La mayoría de la gente piensa que podría arreglárselas fácilmente en la naturaleza, pero ¿qué haría usted en caso de sufrir un accidente? ¿Cómo manejaría la situación? ¿Y hay algún consejo o truco que pueda ayudarle?

Estos son los seis pasos básicos que debe aprender, dominar y recordar si quiere sobrevivir en la naturaleza:

1. Mantener un Buen Estado de Ánimo

El autocontrol y el equilibrio emocional son aspectos clave para su supervivencia – si es propenso al pánico, no durará mucho. El pánico equivale a malas decisiones, sin pensar en las consecuencias; si comienza a tomar decisiones impulsivas, estará minimizando sus posibilidades de supervivencia y rescate.

Incluso si se necesita una decisión rápida, tómese un minuto (o unos momentos si la decisión es inminente) para relajarse. Tomará decisiones mucho mejores y encontrará soluciones más eficientes.

Si bien el cortisol y la adrenalina lo ayudan, respire profundamente para reducir la presión arterial. Inhale contando hasta cinco, exhale contando hasta cuatro, lentamente. Y repita hasta que esté bajo control.

2. Tener Siempre un Plan

Comience por lo más importante y avance desde ahí. Por ejemplo, si alguien está herido, esa debe ser la prioridad antes que cualquier otro asunto – ahí es donde entra en acción su botiquín de primeros auxilios, junto con sus conocimientos para tratar lesiones.

Una vez que se haya solucionado esa situación, usted y su grupo deberán decidir las responsabilidades de cada uno, y cómo se van a distribuir las tareas. También necesitarán discutir acerca de cuánto tiempo permanecer en un mismo lugar o cuándo desplazarse.

Si se ha perdido, debe permanecer sentado para facilitar el rescate. Si tiene un buen reloj de supervivencia, podrá salir del apuro usted mismo – tienen brújulas, barómetros, altímetros, y más funciones, lo que le garantiza saber lo que se encontrará y hacia dónde dirigirse.

Si opta por desplazarse, necesitará un plan que cubra sus necesidades de refugio, comida y agua.

3. Construir un Refugio

Esta es una de las primeras cosas que debe hacer cuando esté en la naturaleza. Si tiene su mochila de emergencia, debería tener refugio y un saco de dormir, pero si no la tiene, tendrá que construir uno, especialmente si se acerca la noche.

Busque un tronco grande en el suelo, y levántelo para apoyarlo contra una roca u otro árbol grande. Esa será la base del refugio. Cúbralo con ramas, hojas y arbustos, y si tiene una lona, extiéndala sobre la parte superior para evitar que entre la lluvia.

Quite los insectos y las rocas afiladas del suelo y haga una cama con hojas y ramitas. Si está atrapado en una fuerte nevada, cave un hoyo y pase la noche allí – sin embargo, asegúrese de que la entrada no pueda quedar bloqueada por la nieve acumulada o una avalancha. Las cuevas pequeñas también son refugios ideales, particularmente porque se puede hacer un fuego en la entrada – pero no olvide inspeccionarla en busca de animales antes de instalarse.

Evite grietas, cualquier lugar que pueda inundarse o cualquiera que pueda ser el hogar de grandes animales salvajes.

4. Hacer un Fuego

Es la siguiente prioridad que debería tener en mente, y no es difícil de conseguir si se tienen las herramientas adecuadas, como cerillas antitormenta. Para empezar, encienda un puñado de ramitas, y continúe añadiendo ramas más grandes. Es muy importante que elija leña seca, de lo contrario tendrá serias dificultades para prender el fuego y mantenerlo encendido.

En caso de no contar con cerillas, puede usar la técnica de la fricción hasta conseguir que salten chispas – forme una especie de nido con hojas y pasto secos, y después busque un trozo plano de madera. Haga una pequeña muesca en la madera, y con una ramita puntiaguda o un palito de madera, gírelo en el agujero, friccionando energéticamente hasta que la madera se encienda. Luego, puede transferir el fuego a un trozo de corteza y encender con esta su nido.

Si el sol brilla fuerte y alto, y tiene un par de gafas, úselas para direccionar los rayos del sol hacia el nido; ayudará a prender el fuego. Puede conseguir el mismo efecto con una botella de plástico.

5. Encontrar Comida y Agua

Si no porta consigo la mochila de emergencia, necesitará buscar comida y agua, especialmente la última. Si lleva un purificador de agua y tiene una fuente de agua cerca, está de suerte. De lo contrario, puede optar por recolectar agua de lluvia de las hojas, o puede envolver ramas verdes con bolsas de plástico y esperar a que suden.

Respecto a la comida, si tiene algún alimento, raciónelo. En caso contrario, tendrá que encontrar alimentos. Puede considerar instalar algunas trampas o tratar de cazar, si dispone de herramientas para ello, o puede intentar conseguir insectos, como larvas, gusanos, y otros bichos pequeños – están llenos de proteínas, y los encontrará en lugares oscuros y húmedos, como debajo de las piedras o alrededor de los árboles.

Es importante destacar, que debe conocer la diferencia entre los insectos y plantas venenosos y los comestibles.

6. Señal de Socorro

Para pedir ayuda, haga uso de lo que tenga a mano en secuencias de tres repeticiones – un silbato ha de accionarse tres veces, hacer una pausa de unos segundos, y volver a silbar de nuevo.

Encienda tres hogueras; si se está desplazando, ate cintas a grupos de tres árboles cada cierto tiempo, o deje montículos de tres piedras.

Si dispone de un teléfono por vía satélite, está en posición de recibir ayuda enviando un mensaje de alerta.

El último consejo: siempre que salga a la naturaleza, asegúrese de que alguien conoce sus planes y su itinerario.

Conclusión

Le felicito, ha alcanzado el final de esta guía. En este libro, debe haber encontrado información útil y necesaria para trazar su plan de supervivencia *prepping*. Como habrá comprobado, es imposible aprender a prepararse de un día para otro. No es un entretenimiento; es un asunto serio, uno en el que todos deberíamos mostrar interés.

No se trata de arrasar en el supermercado y llenar sus frigoríficos, congeladores y armarios con montañas de comida, por si acaso. Se trata de almacenar las provisiones adecuadas en las cantidades adecuadas. Se trata de aprender nuevas habilidades que le ayuden a sobrevivir en el peor de los escenarios. Se trata de estar preparado para cualquier cosa y no ser imprudente.

¿Para qué llenar su frigorífico y su congelador cuando probablemente el primer suministro en desaparecer sea la electricidad? ¿Para qué pasar horas cuidando de sus bonitas flores cuando debería estar cultivando alimentos? ¿Por qué vivir con una actitud de "eso nunca me ocurrirá a mí" – millones de personas en todo el mundo han pensado de esa manera y millones de personas se han equivocado.

Lea y aprenda porque, un día, el SHTF realmente estallará –
¿Estará preparado?

Segunda Parte: Homesteading

La Guía Completa de Agricultura Familiar para la Autosuficiencia, la Cría de Pollos en Casa y la Mini Agricultura, con Consejos de Jardinería y Prácticas para Cultivar sus Alimentos

Introducción

¿Qué tienen en común las ganadoras del Oscar Nicole Kidman, Julia Roberts, Reese Witherspoon y Russell Crowe, junto con la estrella de *Friends* Jennifer Aniston y la actriz Vera Farmiga?

Además de vivir la vida como A-listers de Hollywood, estas personas también son famosas por adoptar la vida de agricultores. Pero ¿qué tiene de interesante homesteading que incluso los paseantes de la alfombra roja se sienten atraídos por ella?

Es irónico que no importa cuán exitosas tiendan a ser las personas y cuántos lugares diferentes visiten en la vida, su instinto primario se activa, de alguna manera, y siempre regresan a la Madre Naturaleza y sus bondades. Homesteading se ha convertido en una catarsis para las personas que finalmente quieren vivir la vida de un productor en lugar de un simple consumidor.

Y si ha estado reflexionando sobre la idea de criar pollos, cabras, cerdos y ganado mientras cuida un huerto de frutas y verduras, entonces no está solo. Miles de personas en todo el mundo han decidido decir "sí" a la jardinería y la domesticación de animales, ¿y por qué no lo harían?

Las granjas implican mucho más que producir sus propias reservas de leche, huevos, carne, verduras e incluso elaborar sus propios jabones y velas. Tampoco se trata simplemente de hacer un buen uso de una parcela de tierra.

Si se está cansando de un estilo de vida complejo y solo desea vivir una vida sin complicaciones, entonces homesteading es para usted. Significa adoptar valores saludables que muchos han olvidado.

¿Desea dejar mejores recuerdos a sus hijos? Además, la agricultura familiar les permite conquistarse a sí mismos, y no solo en los niveles de un videojuego. Si es obstinadamente independiente y desea ser autosuficiente, entonces la vida de un agricultor es la mejor forma de existencia para usted.

Homesteading simplemente tiene sentido, ¿no? Pero, por supuesto, la libertad trae consigo una serie de responsabilidades, y este es su primer día. Algunas habilidades deben aprenderse (e incluso desaprenderse), existen leyes que se deben tener en cuenta e incluso muchos desafíos por delante.

Sin embargo, la belleza de la agricultura familiar es que cambia su vida para mejorar, para siempre. Si todos en su familia están listos para involucrarse, ¡entonces es este su momento! Prepárese para aprender los conocimientos y las habilidades fundamentales que lo convertirán en un granjero experto en poco tiempo.

Bienvenido a su nueva aventura.

PARTE UNO: CONCEPTOS BÁSICOS DE HOMESTEADING

Homesteading Explicado

Érase una vez, el presidente Abraham Lincoln puso a disposición acres sobre acres de tierra para adultos que nunca tomaron las armas contra el gobierno federal de los Estados Unidos, las mujeres y los inmigrantes. La Homestead Act de 1862 ofreció la propiedad de la tierra a estos pueblos para abordar las desigualdades que eran bastante descontroladas en ese entonces.

Esta ley se considera una de las leyes más importantes en la historia de Estados Unidos porque los dominios públicos (aproximadamente 270 millones de acres o aproximadamente el diez por ciento de la superficie de los Estados Unidos) se entregaron a ciudadanos privados. Los colonos solo necesitaban construir una casa en su parcela de tierra, hacer mejoras y posteriormente cultivar la tierra durante cinco años para que se los considerara elegibles para probar o convertirse en propietarios legales.

Si lo analizamos, en un momento de la historia, todos practicaron homesteading, donde el trabajo físico era la norma. Al adelantarnos a los tiempos actuales, y se ha convertido en un espectro mucho más amplio.

Mucha gente habla de homesteading. Sin embargo, cuando se pide definir lo que significa, existen respuestas variadas. Algunos dicen que significa que puede crear sus propios generadores eléctricos solares, de agua o eólicos. Algunos afirman que significa intercambiar el uso del dinero. Aun así, algunos definen homesteading como el abandono de carreras lucrativas e involucrarse en una forma de vida más simple.

¿Pero cómo definiríamos homesteading?

El significado más amplio de este término es poder comprometerse con una vida de autosuficiencia. Esto podría abarcar tanto el cultivo como la conservación de los propios alimentos, la confección de tejidos para su propia ropa y, sí, incluso el suministro de electricidad por medios naturales.

A medida que aprenda más sobre homesteading, se dará cuenta de que no todos los habitantes comparten el mismo conjunto de valores. De hecho, es un grupo diverso de personas que dicen "sí" a esta forma de vida. Descubrirá que existen personas que lo practican porque simplemente están cansadas de la rutina diaria de la vida urbana. Algunos quieren prepararse para las dificultades económicas. Aun así, otros simplemente disfrutan cultivando la tierra y viendo crecer sus productos mientras siembran, cosechan y posteriormente conservan sus propios alimentos.

Cualesquiera que sean sus razones para considerar el homesteading o aprender más sobre ello, una cosa es segura: acaba de tomar una decisión noble.

En primer lugar, homesteading es una experiencia humilde, una revelación de cuán finita puede ser la vida y cuán pequeños somos en contraste con el universo (o multiverso como creerían otras personas).

Algunos cultivos crecen y se cosechan, mientras que otros simplemente fracasan.

Incluso los mejores planes agrícolas pueden fallar, por lo que decir "sí" a esta forma de vida es un intento de dominar un pedazo de la Madre Tierra y esperar a que lleguen sus bendiciones. Y a medida que los éxitos y fracasos de la naturaleza le instruyen, también aprenderá a perseverar y orar porque finalmente ha comprendido que la vida no siempre está bajo su control.

Homesteading también enseña fortaleza. Al conversar con las personas mayores, especialmente las que crecieron en una granja, le afirmarán que aprendieron a ordeñar vacas cuando apenas tenían edad escolar. Las niñas también cocinaban al lado de sus madres; todos son entornos que ahora son desconocidos para la generación actual.

Los niños, en el pasado, eran capaces de prosperar incluso en las circunstancias más duras, y esto es precisamente lo que el mundo necesita con urgencia. Homesteading construye la ética laboral más sólida para que incluso los niños más pequeños de su familia sepan cómo contribuir en términos de mano de obra.

Una granja es uno de los mejores lugares para criar a sus hijos. Vivir en este entorno similar a una granja es la educación en sí misma. Los niños capacitados en estos entornos pueden ver, oír y comprender mejor. Crecerán para ser más responsables porque pensarán dos veces antes de desperdiciar alimentos o contaminar su medio ambiente.

Más que hablar de cultivar productos y producir su propia comida, otra razón más para la agricultura es el deseo de que la comida sepa mejor. Probablemente haya comido en un restaurante en algún lugar y se haya quejado de la carne de sabor simple o la ensalada insípida.

Los huevos y la carne saben mejor cuando están frescos, al igual que los tomates y otros productos.

La buena noticia es que ya no tiene que sufrir por otra comida sin sabor. Ahora puede hacer el esfuerzo consciente de vivir de manera autosuficiente y disfrutar de los alimentos en el proceso. Pero para poder disfrutar de ese tomate fresco, prepárese para trabajar duro durante meses mientras siembra las semillas, asegúrese de que las plántulas crezcan y luego planifique el momento correcto para plantarlas en el suelo.

E incluso entonces, aún no ha terminado porque necesita proteger la planta de tomate contra el clima severo, instalar un enrejado y luego esperar el momento adecuado cuando hayan madurado.

Al final del día, también se dará cuenta de que ocuparse de la tierra le infunde aprecio porque nada enseña mejor sobre ello que el trabajo duro. También tendrá un sentido renovado de valor por cultivar sus propios alimentos nutritivos. Además, es asombrosa la cantidad de energía que necesita ejercer solo para criar pollos, cerdos o ganado. Agregue a esto la idea de matar al animal que crio, y el trabajo se vuelve doblemente difícil.

Sin embargo, no importa cuán difícil sea, todos estos se suman a su conocimiento de la madre naturaleza y cómo aprender sobre jardinería, cría de animales, cría de abejas, polinización, elaboración de queso, etc., podría conducir a una verdadera libertad e independencia.

Ahora, no piense que va a ser como sus bisabuelos que tenían que arar la tierra a mano (aunque esta también es su elección). Lo mejor del siglo XXI es que tiene acceso a equipos agrícolas, mejor atención médica y los medios para mantenerse conectados con el mundo (algunos granjeros escriben en blogs y mantienen cuentas de Instagram para inspirar a otros). Todos estos pueden usarse a favor y no en contra de su estilo de vida elegido como tal.

Homesteading también está lejos de ser una vida fácil porque necesita comprometerse con el trabajo físico, emocional y mental para que este estilo de vida sea un éxito. Curiosamente, incluso cuando requiere estos diferentes aspectos humanos, garantiza que vivirá una vida libre de estrés.

Entonces, ¿cómo se equipara la agricultura a cero estrés si se trata de trabajo manual? La respuesta está en la cantidad de seguridad y paz que a menudo esta relacionada con la autosuficiencia y, a su vez, con el homesteading. En estos días, las personas tienen la oportunidad de vivir un estilo de vida más saludable cuando eligen vivir en granjas en el hogar o incluso cuando simplemente deciden cultivar un jardín interior.

Muchos granjeros han informado de que vivir en una granja o en el campo es mucho más relajante que establecerse en una ciudad. También se sienten más libres y saludables en ese entorno. Incluso pueden ahorrar dinero en ropa y comida. Algunos incluso ganan dinero comerciando y vendiendo los bienes que producen en sus hogares.

¿Y quién podría discutir el bienestar que conlleva estar el aire libre? Incluso los niños pequeños pueden aprender sobre su conexión con la naturaleza. La vida en la ciudad solo ofrece parques, pero las granjas ofrecen mucho más. Ofrece un respiro de las graves amenazas de los cultivos y alimentos modificados genéticamente.

Entonces, ¿qué es esta gran protesta por los alimentos modificados genéticamente?

Han pasado 27 años desde que se introdujo en el mercado el primer alimento modificado genéticamente y, desde entonces, la dieta estadounidense ha consumido grandes cantidades de este alimento manipulado. No es sorprendente que los organismos modificados genéticamente (OMG) o los productos modificados genéticamente (GE) dominen ahora diversos sectores de la agroindustria. También es alarmante que las empresas biotecnológicas y químicas controlen ahora a los proveedores de semillas.

Está consumiendo estos alimentos peligrosos si no compra productos orgánicos o no cultiva sus propios alimentos en su jardín. Solo piense en los cultivos modificados que ahora se encuentran en muchas tiendas de comestibles: maíz, colza (utilizada para hacer aceite de canola), pimientos, calabacín, calabaza, caña de azúcar, arroz, papaya y guisantes, entonces se angustiaría por dónde conseguir su próxima comida nutritiva.

Los productores de OGM están literalmente fuera de control, hasta el punto de que la letra pequeña ni siquiera indica que el maíz y la soja que compramos son OGM. Prevention Magazine citó que el 80 por ciento de los alimentos procesados están modificados genéticamente, y eso es una cifra alta. Por lo tanto, es importante que verifique si su comida tiene una etiqueta que no contiene OGM. Lo que es aún mejor es que si cultiva sus alimentos, de esa manera, tiene la garantía de que no se usaron pesticidas.

Elegir convertirse en un granjero, por lo tanto, se vuelve mucho más prometedor porque más personas se están uniendo a la causa. En un mundo en el que las empresas de ingeniería genética y transgénicos ganan batallas judiciales contra los agricultores, la buena noticia es que las granjas son ahora una causa social mundial.

Este es el momento perfecto para convertirse en un granjero y no preocuparse por los altos gastos que conlleva vivir en la ciudad. Y a medida que el mercado laboral se vuelve más errático, es lógico considerar la vida en el campo y unirse a muchos otros que ahora disfrutan de una vida más sana y pacífica.

La agricultura moderna ofrece más posibilidades y opciones hoy en día, así que prepárese porque es hora de celebrar.

¿Qué Tipo de Granjero es Usted?

Ahora que conoce los beneficios que conlleva el homesteading, es hora de averiguar qué tipo de granjero es. Si Dictionary.com define el término como cualquier vivienda con su terreno y construcciones donde una familia edifica su hogar, entonces el acto se vuelve mucho más simple, pero, hoy en día, el homesteading va más allá de establecer una estructura y permitir que su familia resida allí.

Dado que el homesteading también se trata de ser autosuficiente, también podría significar que no es simplemente otro lugar en el que se sienta como en casa; también es la zona donde se construyen los sueños y se fomenta el bienestar.

Homesteading es el lugar donde la familia vive como una y trabaja como una. Claro, podría significar vivir fuera de lo normal para algunas familias o simplemente querer ahorrar un poco más de dinero en alimentos orgánicos, pero en última instancia, cada familia debe establecer sus metas de homesteading.

Homesteading puede significar muchas cosas diferentes, pero una de sus metas más importantes es la autosuficiencia o ser menos dependiente de los demás. También existen cinco tipos diferentes de granjeros, y es momento de averiguar cuál de ellos es usted.

El Granjero Urbano/de Apartamento

Una de las mejores cosas de la agricultura moderna es su flexibilidad. Atrás quedaron los días en que se pensaba que la agricultura era algo exclusivo para ganaderos y agricultores. Ya no hay necesidad de ser dueño de miles de acres de tierra solo para ser llamado granjero. Estas definiciones están cambiando rápidamente, por lo que, sin importar dónde se encuentre, ahora puede ser un granjero.

Si actualmente vive en los suburbios, específicamente en un apartamento, no se preocupe, todavía tiene posibilidades ilimitadas en términos de comenzar su granja.

Pero ¿cómo se vería una granja dentro de un pequeño apartamento? ¿Qué tal en un pequeño patio trasero?

Vivir en una ciudad no debería limitar sus sueños de homesteading. Podría vivir en el corazón de la jungla de la ciudad y desayunar en un pequeño balcón cada mañana, pero aún podría vivir la vida de un granjero.

Características que Definen a los Mejores Granjeros Urbanos

• La unidad de vivienda es pequeña. Las frutas y verduras de cosecha propia son las claves para una vida sostenible, pero donde existe un espacio limitado, estas plantas no tienen espacio para crecer, así que, si le preocupa dónde colocar sus macetas de verduras, definitivamente es un granjero urbano. La granja urbana también se caracteriza por hábitats unifamiliares.

• El tamaño del hogar es de aproximadamente tres personas. Un informe preparado por la Oficina de Investigación y Desarrollo de Políticas del Departamento de Vivienda y Desarrollo Urbano de los Estados Unidos mostró que el número medio de personas en una granja urbana es de tres punto dos.

- Un hogar recién formado. El mismo estudio también demostró que alrededor del 15 por ciento de los granjeros urbanos confirmaron que no eran responsables de sus hogares anteriores.

- Vivió anteriormente en propiedades de alquiler. Las estadísticas muestran que el 90 por ciento de los granjeros urbanos antes eran inquilinos.

- Empleados a tiempo completo o parcial. También se ha encontrado que el 90 por ciento de los granjeros urbanos trabajaban a tiempo completo o parcial antes de convertirse en granjeros.

- Ahorros modestos. Una de las razones probables por las que los residentes urbanos también quieren convertirse en granjeros es la oportunidad de aumentar sus ingresos mediante la jardinería o la crianza de ganado.

- Uso optimizado del espacio. Primero, puede cultivar diferentes hierbas en macetas pequeñas, pero debe conocer el lugar correcto para colocarlas. Y los mejores granjeros urbanos usan áreas como el alféizar de la ventana, el balcón e incluso los rincones y recovecos solo para cultivar verduras y hierbas. Estas son las personas que disfrutan de cuidar cebollas, orégano, ajo y hierbas en recipientes más pequeños. Si está de acuerdo con tal preparación, probablemente viva en un apartamento pequeño en este momento. Si la idea de un jardín hidropónico no solo es emocionante para usted, sino también una solución a sus problemas de jardinería, entonces definitivamente es un granjero urbano. Del mismo modo, si le emociona la idea de visitar a los agricultores locales en las granjas. Cuando está libre y su idea de "tiempo para mí" es visitar el mercado de agricultores para comprar leche fresca y huevos, entonces es posible que no los disfrute porque vive en la ciudad, específicamente en un pequeño espacio.

- Desea comenzar una despensa de víveres para su familia. Entonces, ¿cuáles son las habilidades que suelen tener los residentes de la ciudad que se convierten en granjeros? La fermentación a pequeña escala, el enlatado, la conserva de semillas, el tejido, la costura, el manejo del agua, la apicultura en los techos e incluso la fabricación de jabón y velas son habilidades que eran comunes en sus abuelos. Pero ahora también se trata de habilidades habituales de homesteading urbano.

Si también está buscando a la gente mayor del vecindario que puedan enseñarle las habilidades o asistir a conferencias y clases en su área local, entonces es un verdadero granjero urbano. Esto también es verdadero si su fuente de conocimiento es la biblioteca de la ciudad.

Si ha estado deseando en secreto aprender a conservar los alimentos para poder conservar sus compras de alimentos a granel, entonces está listo para convertirse en un granjero urbano que proporcione alimentos a su familia.

A nivel personal, si prefiere usar sandalias abiertas mientras camina y rocía la mezcla orgánica anti-insectos en sus plantas en macetas, o si su idea de una mascota es tener un gato, un perro de juguete y una linda tortuga, entonces esto simplemente demuestra que es un granjero urbano.

Sin embargo, no se preocupe, porque incluso si su idea de unas vacaciones es visitar museos de la ciudad, aún puede comenzar a cultivar. Todo es cuestión de aprender las habilidades adecuadas para esos entornos.

Los Granjeros de Mediana a Gran Escala

Lo que hace que las granjas sean diferentes son aspectos como árboles frutales, una o dos parcelas de bayas, un huerto, compostaje más extenso, barriles de lluvia, ganado y parcelas de tierra más extensas en contraste con los espacios limitados en la ciudad.

La extensión del terreno también indica si usted es un granjero de pequeña, mediana o gran escala. Las medidas son:

Granja pequeña - 6 a 10 acres de terreno

Granja mediana - 11 a 30 acres

Granja extensa - 75 a 200 acres

Aparte de la superficie cultivada, estos son las características que definen a los granjeros más grandes:

• El trabajo duro es su realidad diaria. Su idea de un entrenamiento es caminar, andar en kayak, levantar objetos pesados o dar largos paseos por su vecindario.

Y si ni siquiera necesita una taza de café para comenzar su mañana, entonces probablemente ya esté acostumbrado al trabajo físico matutino de rutina y, por lo tanto, está destinado a la agricultura a gran escala.

• Sueña con surcos de diferentes plantas. Si no puede imaginarse a sí mismo cuidando a simples macetas y recipientes, entonces definitivamente está hecho para la agricultura a gran escala

• Está pensando en ampliar la fuerza laboral. Una de las señales más evidentes de que está a punto de vivir en una gran granja es cuando ya está pensando en emplear a más personas para que lo ayuden con la operación de su propiedad. Si los miembros de su familia ya no son suficientes para cubrir todas las tareas de su casa, entonces reconoce que requiere un terreno más extenso.

• También está pensando en mayores inversiones. Una mayor fuerza de trabajo, ganado y jardinería requieren dinero o inversiones adicionales. La mayoría de las veces, los granjeros a gran escala agregan maquinaria y equipo más grandes para que el trabajo en la granja sea más liviano.

Maquinaria agregada

o Tractor (precio alrededor de $10,000)

o Vehículo Todo Terreno (los ATV pequeños pueden costar solamente $1,000 mientras que los más grandes pueden costar tanto como un tractor)

o Camión agrícola

o Vagón

o Retroexcavadora

o Cultivador

o Arados

o Rastras

o Empacadoras

o Cosechadora

● Considera que necesita un sistema de riego. Reconoce que es un granjero de mediana a gran escala si ha estado planeando instalar un sistema de riego para regar su jardín.

● Desea compartir sus productos con sus vecinos. Si desea cultivar alimentos más allá de lo que puede almacenar en la despensa de la granja de su familia, entonces está listo para una granja a gran escala. En este momento, es más que un granjero aficionado; ya está pensando en bendecir vidas fuera de su hogar.

Entonces, ¿ha descubierto qué tipo de granjero es usted? Ahora es el momento de responder un simple "sí" o "no" a una serie de preguntas:

1. ¿Se preocupa frecuentemente de dónde se origina su comida?

2. ¿Desea volverse autosuficiente?

3. ¿Le agrada cocinar tu propia comida o está dispuesto a aprender?

4. ¿Está de acuerdo con aprender habilidades tradicionales, como carpintería, costura, tejer, hacer velas, lavar su propia ropa y otras?

5. ¿Estaría dispuesto a aprender habilidades para poder proteger a su familia durante una emergencia?

6. ¿Podría sacrificar animales para obtener carne orgánica?

7. ¿Consideraría la idea de criar animales para su sustento?

8. En su opinión, ¿vivir fuera de lo común es una forma atractiva de vivir?

9. ¿La siembra y la conservación de alimentos son cosas interesantes para hacer a solas o con su familia?

10. ¿Podría vivir a millas de distancia de la tienda de comestibles?

Si respondió "sí" a la mayoría o todas estas preguntas, entonces está absolutamente listo para usar esas botas agrícolas.

Pasos Antes de Comenzar Homesteading

¡Felicidades! En este punto, valientemente ha dicho "sí" a convertirse en un granjero. Ahora que tiene las mangas arremangadas y está listo para las tareas, ¿qué sigue?

El siguiente paso es prepararse mental y físicamente para los días y años de arduo trabajo que se avecinan. Esta fase es la clave para permanecer y no darse por vencido una vez que aparecen los desafíos.

La planificación de la granja no se trata solo de saber alimentar a los pollos o cuántos galones de leche se pueden extraer de una vaca. Antes incluso de comprar su primer paquete de semillas o sus botas agrícolas, necesita saber algunas cosas detrás de escena para que no lo tomen desprevenido.

Tener el control de su alimentación, salud y hogar, en general, es digo de admiración.

Estos son los pasos cruciales que todo futuro granjero debe tomar antes de dar el gran salto:

Comprometerse

Comenzar una granja desde cero es una tarea abrumadora, por lo que es recomendable dividir las responsabilidades en pasos más pequeños y fáciles. Decida las cosas a las que quiere comprometerse antes de siquiera prepararse para lograrlas.

Tómese el tiempo para investigar, leer, hacer las preguntas correctas y tomar notas. Esté preparado para lo inesperado estableciendo reservas (por ejemplo, conocimiento y dinero).

Otra parte de su compromiso es alterar su forma de pensar. Tan pronto como esté listo, decida fabricar cosas en lugar de comprarlas, o reutilizarlas en lugar de tirarlas. Cuando empiece a preferirlo, estará en camino de convertirse en un granjero.

Su vida ya no es una vida de consumismo, por lo que parte del compromiso también es hacer recortes. Una cafetera o una máquina para hacer waffles ya no se utilizarán en una granja. Existen muchos elementos que actualmente posee que deberían desaparecer. Las cosas que han estado en contenedores y cajas de almacenamiento durante años probablemente no se usarán de todos modos, así que dónelas, regálelas a sus amigos, véndalas o simplemente tírelas.

Evaluarse a sí mismo

Las estadísticas muestran que existen más granjeros introvertidos, y esto es fácil de entender porque los espacios abiertos que típicamente vienen con el asentamiento fomentan mucho tiempo a solas, menos vecinos y espacio para que los niños corran.

Homesteading es sinónimo de aventura una vez que se propuso hacerlo porque los pollos cacareando, el cultivo de verduras y frutas en el jardín, incluso la despensa que se está llenando lentamente de comida en conserva en frascos son tan emocionantes como podría serlo. Pero existe un lado de esta vida que podría volverse completamente melancólico, ya que vivir en el campo conduce potencialmente al aislamiento.

Tan pronto como el polvo comience a asentarse (por así decirlo), es posible que empiece a extrañar las comodidades que se ofrecen en la ciudad, desde comidas preparadas hasta el cine. Las paredes pueden parecer limitadas si no se ha tomado el tiempo de evaluarse a sí mismo antes de la construcción de una casa. Si usted es introvertido, entonces podría renovarse cuando está solo en comparación con los extrovertidos que obtienen su energía socializando con la gente (entonces este segundo grupo necesitará más ayuda en términos de mantener alejada la tristeza).

Sin embargo, esto no significa que los extrovertidos no sean granjeros efectivos. Es solo una realidad con la que algunas familias han luchado. La soledad rural es real, como la gente ha admitido durante sus dificultades de homesteading, pero existe mucho espacio para diferentes tipos de personalidades cuando se trata del trabajo de homesteading.

Debe entender lo que le motiva. Los introvertidos están impulsados por proyectos, por lo que puede enfocar sus energías en los proyectos que tiene frente a usted. Probablemente haya oído hablar de madres granjeras que cuidaron a sus hijos mientras también limpiaban profundamente su casa y cuidaban el jardín, pero que todavía se sentían aburridas, así que piénselo dos veces si puede asumir este proyecto por completo.

También ayuda a comprender que la vida rural no significa estar aislado del resto del mundo. Aún puede acceder a las redes sociales para poder unirse a foros donde puede compartir ideas con personas de ideas afines. Esta podría ser una gran fuente de estímulo social. Incluso cuando estas personas sean solo tus amigos en línea, aun así, puede mantener un discurso social y, en el proceso, conservar su equilibrio mental.

Evalúe entonces si puede mantenerse ocupado y no ser arrastrado por la llamada fiebre de cabina (irritabilidad e inquietud como reacción a la claustrofobia). Homesteading requiere un giro de 180 grados de una vida fácil, así que mire al espejo y sea honesto con su respuesta mientras se pregunta: ¿Estoy realmente listo para convertirme en un granjero?

Si la idea de ser autosuficiente y saber de dónde proviene su comida pesa más que las dificultades que tiene por delante, entonces reúna ánimos y prepárese para una vida de helados caseros y carnes de cosecha propia.

Encontrar Nuevos Amigos

Puede socializar en línea, o puede hacerlo a la antigua, a medida que encuentra granjeros como usted (preferiblemente sus vecinos) y se hace amigo de ellos. Incluso tendrá más personas con las que intercambiar por sus futuros productos y ganado.

¿Y las preguntas sobre homesteading? Finalmente, puede estar tranquilo si les pregunta a sus nuevos amigos granjeros sobre sus experiencias con las leyes, el clima, el entorno general, etc.

Tener amigos también significa tener a alguien a quien pedir prestado cosas durante las emergencias. Puedes pedir prestado un deshidratador a un nuevo amigo a cambio de su envasador.

Planificar

Hay un dicho que afirma que, si no planifica, planea fracasar. Como con todo, la planificación implica establecer metas realistas.

Muchas personas se sienten abrumadas cuando comienzan a cultivar. Esto es comprensible, pero se puede controlar cuando establece metas que puede manejar razonablemente. Puede establecer objetivos estacionales en lugar de distribuir sus tareas entre diferentes objetivos. Esto solo generará confusión, así que aborde sus proyectos en un mes o un fin de semana a la vez.

También debe planificar un ingreso adicional mientras aún está estableciendo su granja. Es correcto soñar que la agricultura puede satisfacer todas sus necesidades, pero esto no es realista.

Debe considerar seriamente los gastos que conlleva la creación de su hábitat autosuficiente. Además, es posible que esté acostumbrado a salir a comer o viajar, por lo que debe averiguar cuánto de esto está dispuesto a renunciar.

Lo bueno de la agricultura moderna es que sus opciones de estilo de vida se han ampliado enormemente, ya que ahora tiene más oportunidades de ingresos disponibles para usted. A diferencia de sus antepasados, ahora tiene acceso a más información, por lo que es menos probable que cometa los errores de los granjeros novatos.

Esto podría incluir aceptar un trabajo en línea mientras se encuentra en una granja. Gracias a Internet, ahora existen más oportunidades de trabajo, incluso en áreas remotas.

Un negocio en línea tampoco es tan costoso de configurar. La venta de estufas de leña a través de Internet puede no ser una fuente de ingresos lucrativa, pero aún puede proporcionar algunos miles de dólares anuales, suficientes para cubrir algunos de los gastos de vivienda.

Escribir su Plan

También puede hacer una lluvia de ideas en familia sobre el diseño de la granja. Un cuaderno de gráficos es su mejor amigo cuando dibuja los planos de planta a escala. Complete las páginas con espacio de almacenamiento, la despensa y otros espacios funcionales.

Sin embargo, el diseño no es la mayor preocupación en términos de planificación para la granja, sino la preparación financiera. Pero no se preocupe, existen principios económicos básicos que pueden ayudarle a sobrellevar la situación.

Primero, diga "no" a la deuda. Comenzar su proyecto de vivienda con dinero prestado no es una buena idea. Esto va en contra de todos los principios de homesteading, más específicamente, la autosuficiencia.

Los propietarios de viviendas generalmente prefieren alejarse de los problemas de dinero. Un granjero experimentado prefiere el trueque en lugar de comprar cualquier cosa. Muchos simplemente dejan una sola tarjeta de crédito para casos de emergencia.

Homesteading también significa estar preparado para emergencias, como daños al equipo, lesiones, enfermedades, etc. Asegúrese de reservar un fondo de emergencia.

Mantenerse al día con los vecinos no es la forma de vivir su vida de granjero, especialmente cuando quiere evitar la bancarrota como la plaga. Simplemente deje de compararse con otras familias campesinas de Pinterest, perfectas para la imagen. Recuerde que lo que ve en las cuentas sociales de las personas es solo la fachada y no la imagen real, así que solo riegue el césped de su lado y se sorprenderá de cómo mejora su mentalidad.

La preparación financiera también significa estar consciente de los fondos de dinero, especialmente cuando su presupuesto es ajustado. Pronto comprenderá que generar su propia comida es más caro que comprarla en la tienda, y es mucho más fácil comprar un galón de leche que tener una vaca por leche. Sin embargo, homesteading es ahora su forma de vida; se trata de criar niños que aprecien la madre naturaleza, el valor del trabajo duro y muchas otras cosas. Entonces, sí, homesteading, al menos en algunos aspectos, va a costar más.

Tenga una mentalidad de abundancia: la necesita si desea hacer la transición de una vida fácil a una granja con éxito. Con este tipo de mentalidad, se sentirá más en paz con la administración del tiempo, la administración de recursos e incluso con sus finanzas.

Adoptar el Minimalismo

Si bien se le anima a tener una actitud mental positiva, esto no significa mantener un estilo de vida ostentoso. Puede ser muy fácil dejarse atrapar por la idea de que siempre necesita adquirir más o hacer más en la vida, pero hacer solo las cosas que importan es la mejor manera de hacerlo.

Si existe algo en su vida, algo en absoluto, que ha estado agotando su energía, tiempo y dinero y que finalmente puede eliminar, entonces ahora es el momento de dejarlo ir.

Si sus hijos se han inscrito para muchas actividades en la escuela o si ha tenido que involucrarse en un evento como un club de lectura, entonces solo tiene que decir "no". Incluso si estas cosas son buenas, si no le hacen realmente feliz, entonces no tiene sentido agregarlas a su calendario.

Considerar los Desafíos como una Forma de Fomentar el Crecimiento

Homesteading es una forma de vida que puede ser exigente, pero también divertida y gratificante. Enfocar su mente en esto le ayudará a superar los obstáculos más difíciles. Comprender que cada contratiempo y error proporcionará una experiencia de aprendizaje.

Y no olvide pedirle a cualquier agricultor que le cuente sus errores pasados y seguramente le dirán que esos errores también ayudaron a organizar su eventual éxito.

Investigue si homesteading es adecuado para usted. Si le agrada satisfacer sus necesidades y las de su familia, y dedicar horas de trabajo físico no lo disuadirá, entonces homesteading es algo que seguramente disfrutará.

1 Habilidades Esenciales de Homesteading

Bien, homesteading significa supervivencia; lo entiende ahora. Sin embargo, incluso el carpintero, soldador y conductor de camión más eficiente puede tener las habilidades que funcionarán fantásticamente en una granja, pero, individualmente, es posible que no sobrevivan. Necesita tener un arsenal de información que cubra los temas que se necesitan para conservar su nuevo estilo de vida elegido.

Sin embargo, no es necesario que se convierta en un jardinero experto el primer día. No obstante, saber plantar y cultivar son habilidades que podrían ayudarle. Tener pasión por ello contribuirá incluso a crear un jardín lleno de vida.

Puede empezar poco a poco cuando se trata de sus habilidades, y hoy eso es lo que va a lograr. Comience poco a poco tomándose el tiempo para saber qué habilidades de homesteading necesita abordar primero.

Compostaje

Cada vez que reutiliza productos o reduce el desperdicio en su hogar, es una situación en la que todos ganan. Recuerde que el compostaje es la habilidad que conquista a ambos.

El área de abono no es difícil de preparar, ya sea que esté trabajando en un terreno pequeño o en uno más grande. Puede tomar la ruta más fácil usando un contenedor de basura como su área de abono inicial o instalar un área de abono más compleja usando paletas o madera contrachapada.

Las habilidades de compostaje pueden ser tan básicas como recolectar hierba cortada, paja, desperdicios naturales de alimentos y otros materiales orgánicos, al principio. Cuando esta pila de desechos se descompone, entonces tendrá una tierra de abono que puede usarse como fertilizante de jardín.

Jardinería

¿Está plantando los tipos de cultivos adecuados para el clima de su zona? ¿También está proporcionando un amplio espacio para que crezcan los tubérculos? ¿Logra distinguir y prevenir las enfermedades de los cultivos?

Estudie los cultivos que plantará y posteriormente cree una estrategia para sus métodos de siembra. Labre el suelo, use los alféizares de las ventanas, colocar macetas, crear una cerca de plantas comestibles y use casi todas las partes posibles del paisaje en su granja para maximizar el uso de su tierra. Si vive en un apartamento, aproveche al máximo cada espacio disponible.

Estudie qué plantas crecen en qué partes y cuáles pueden crecer una al lado de la otra.

En pocas palabras, sus habilidades de jardinería deben incluir saber:

- Cuándo plantar.
- La distancia entre las semillas plantadas.

- Lo que requiere propagación.
- Lo que debe incluirse en un invernadero.
- Qué tamaños de macetas utilizar.
- Periodos de germinación y maduración.
- Las plagas que devastarán sus cultivos.
- Cuáles verduras funcionan juntas.
- Cuándo cosechar sus cultivos.

Salvamento

Sus frutas y verduras son excelentes fuentes sostenibles de alimentos orgánicos. Entonces, la siguiente habilidad que debe aprender es cómo guardar las semillas que puede replantar correctamente. Se pueden replantar pimientos, tomates cherry, zanahorias y arándanos. Todo lo que necesitas es un cuchillo afilado y tijeras de podar para cosechar las semillas y posteriormente almacenarlas.

Con las tijeras de podar, corte las vainas de semillas. Coloque las vainas en una habitación con una temperatura cálida. Esta debe ser una habitación con poca humedad. Extiéndalos sobre papel de periódico o varias toallas de papel.

Deje secar durante una o dos semanas.

Almacenamiento de Alimentos

Cualquier habitante de la ciudad siempre puede acudir a la tienda local para comprar pasta, harina y productos enlatados, pero estos no le proporcionarán una dieta equilibrada. Todavía necesita frutas, fuentes de proteínas y verduras para obtener vitaminas y minerales esenciales, y ¿qué mejor manera de proveer su sistema con estos elementos esenciales que comer alimentos orgánicos?

Existen muchas formas de almacenamiento para alimentos, y tendrá que aprenderlas para vivir de manera efectiva en su hogar. Puede hacer cualquiera de estos de forma económica utilizando técnicas como enlatado, secado y congelación.

El enlatado es la aplicación de calor a los alimentos que han sido sellados en frascos. Este proceso destruye los microorganismos que provocan el deterioro. Las técnicas de enlatado adecuadas evitan que se estropeen al calentar los alimentos durante un tiempo específico y expulsar el aire de los frascos, creando así un sello de vacío.

El Departamento de Agricultura de Estados Unidos (USDA) aprueba solo dos métodos de enlatado: enlatado a presión y enlatado al baño de agua.

El envasado a presión utiliza una olla grande que produce vapor dentro de un compartimento sellado. Los frascos empaquetados que están en el hervidor deben alcanzar una temperatura interna de 240 grados. Luego se usa un manómetro para medir la cantidad de presión a la que se someten los frascos.

El enlatado a presión se usa mejor para procesar carne, pescado, aves y verduras.

El enlatado al baño de agua, por otro lado, es el método que también se denomina enlatado con agua caliente. También utiliza una gran tetera con agua hirviendo. La diferencia es que los frascos llenos se colocan bajo el agua y luego se calientan hasta 212 grados durante algún tiempo. Este método se usa mejor para alimentos que tienen un alto nivel de acidez, como frutas, tomates y alimentos en escabeche.

De todos los métodos de conservación de alimentos, el secado es el más antiguo. Una porción de los alimentos que se están secando se expone a altas temperaturas para eliminar la humedad, pero solo hasta un punto en el que no se cocine. La circulación del aire es un factor en los alimentos secados uniformemente.

Actualmente existen deshidratadores eléctricos completos con un ventilador y un termostato que ayudan a regular la temperatura para secar los alimentos. También se puede utilizar el horno, o el calor del sol, pero estos últimos procesos son más tardados, y los resultados son muy inferiores a los que se secaron dentro de un deshidratador.

La congelación de alimentos es un proceso de preparación, envasado y sometimiento de los alimentos a temperaturas bajo cero mientras aún están frescos. Las frutas, verduras, pescado, carnes, pasteles, trozos de pan, guisos y sopas se pueden congelar.

Para congelar alimentos, asegúrese de empaquetar correctamente los alimentos y de mantener la puerta del congelador cerrada en todo momento. Planifique los alimentos que congelará para que la unidad conserve su circulación de aire ideal.

Estos procesos, junto con otros métodos de conservación de alimentos, como la fermentación, la inmersión en alcohol, el decapado, la inmersión en aceite de oliva y la conservación en azúcar y sal, son habilidades de supervivencia comprobadas que sus predecesores aprendieron y aplicaron de manera efectiva.

Molienda

Dependiendo de dónde elija realizar sus actividades, las preocupaciones sobre el almacenamiento de grandes cantidades de granos y harinas podrían representar un desafío. Podría moler unas pocas libras de granos a la vez y posteriormente almacenarlos para hornear y cocinar.

La forma actual más sencilla de moler harina es utilizar un procesador de alimentos. Introduzca diez tazas de harina en la tolva; posteriormente obtendrá harina ultrafina en unos minutos. Si desea hacerlo de forma natural, puede utilizar un mortero antiguo. También puede comprar un accesorio mezclador especialmente diseñado para moler granos o un molino de granos portátil.

Elaboración de Mantequilla y Queso

No es necesario tener una vaca solo para elaborar su primera mantequilla casera. Lo que necesita es solo un poco de crema y un frasco en el que pueda mezclarlo. En cuanto a los quesos, también puede hacer queso ricotta, mascarpone, Chèvre y queso de yogur de maple.

Los quesos pueden elaborarse con cualquier tipo de leche, incluidas las de oveja, cabra y vaca. El tipo de coagulante que se use depende del tipo de queso que desee preparar. Los quesos ácidos necesitan una fuente de ácido como ácido acético (ácido de vinagre) o un glucono delta-lactona o ácido alimenticio suave.

Método:

1. Comience con leche fresca y tibia. Cuanto más fresca sea la leche, más exquisito será el queso.

2. Acidifique la leche con ácido cítrico. Un litro de leche debe mezclarse con tres punto cinco gramos de ácido.

3. Agregar un coagulante (cuajo).

4. Con la mano limpia, presione la superficie de la leche para probar la firmeza del gel formado.

5. Usando un arpa de queso, batidor o cuchillo, corte la cuajada formada. Tenga en cuenta que cuanto más pequeñas sean las rodajas, más secas estarán. Corte trozos más grandes y tendrá un queso más húmedo.

6. Encienda la estufa, posteriormente revuelva continuamente mientras cocina la cuajada.

7. Lave la cuajada (eliminación del suero) retirando un poco del suero de la tina y posteriormente reemplazándolo con agua.

8. Escurrir usando un colador. También puede esperar diez minutos para que la cuajada finalmente se asiente en el fondo.

9. Presione la cuajada en la parte inferior mientras aún está caliente.

10. Añadir sal y dejar añejar.

Cría de Animales

Los granjeros más eficientes son los que dependen de los animales. Son quienes tienen caballos para montar, perros que vigilan, gallinas que les brindan carne y huevos y cerdos que eventualmente se convierten en tocino y jamón.

La Enciclopedia Británica Online define la cría de animales como el cultivo, manejo y producción controlados de animales domésticos, incluida la mejora de las cualidades consideradas deseables por las personas.

La cría de animales también está asociada con la apicultura, la producción lechera y la crianza; aprenderá más sobre esto más adelante.

Creando Fuego

Los hombres de las cavernas lo han logrado para que usted también pueda hacerlo. Como superviviente, hacer una fogata ya debería ser una segunda naturaleza para usted. Las instrucciones son las siguientes:

1. Primero, cree un nido de yesca. Es ahí donde se encenderá la llama de arranque.

2. A continuación, realice la muesca y coloque la corteza debajo. Empiece a girar, después encienda el fuego. Prepare la tabla de fuego y continúe frotando.

3. Encienda el fuego.

Si desea tomar una ruta más fácil, utilice una lupa para iniciar el fuego. Simplemente coloque la yesca debajo de la lente y espere a que el rayo de sol produzca una llama.

Necesitará esta habilidad para cocinar su comida cuando no haya electricidad. La fogata clásica no solo proporcionará calor, sino también un lugar donde podrá cocinar su comida.

También puede seguir confiando en los tanques de propano combinados con una estufa de gas confiable. También puede asar su comida para hacer preparaciones aún más exquisitas.

Cocinando

Tan importante como cultivar sus propios alimentos es aprender a cocinar comidas saludables. Si ha dependido de las comidas de los restaurantes, no se preocupe, porque esta habilidad se puede aprender.

Es fundamental comprar sus propios utensilios de cocina. Lo esencial son cucharas de madera, cucharas para mezclar, espátulas, tazas medidoras y un batidor. También debe invertir en ollas y sartenes (el cobre sería un buen material para estos). Use hierro fundido tanto como pueda, ya que hace que cualquier alimento sepa mejor, además es una herramienta de cocina duradera que puede usar durante muchos años.

Un buen cuchillo de cocina debería ser suficiente para comenzar sus lecciones de cocina.

Obtenga libros de cocina escritos para principiantes. Tómese el tiempo para leer las reseñas sobre cada libro de cocina. Si no tiene copias tangibles de libros de cocina, puede buscar aplicaciones telefónicas.

Remedios Naturales Caseros y Primeros Auxilios

Homesteading equivale a vivir a kilómetros de la farmacia u hospital más cercano, por lo que debe estar preparado para la auto curación. Prepare remedios homeopáticos para afecciones menores.

Encuentre hierbas y especias en su jardín que puedan convertirse en remedios para afecciones comunes. Puede hacer jabones, lociones y ungüentos caseros. También puede cosechar miel natural que es conocida por tratar erupciones cutáneas, resfriados, tos, quemaduras y muchas más dolencias.

Otro conjunto útil de habilidades es atender cortes, quemaduras y raspaduras para prevenir infecciones. Mantenga una reserva de accesorios de sutura médica e incluso un torniquete de grado militar.

Aprenda también la maniobra de Heimlich y RCP. Sin embargo, recuerde que la persona aún necesita ayuda médica después de realizar cualquiera de los primeros auxilios. Para realizar la maniobra de Heimlich, haga lo siguiente:

1. Colóquese detrás de la persona.

2. Inclínela hacia adelante y efectúe cinco golpes en la espalda con la palma de su mano.

3. Coloque sus brazos alrededor de la cintura de la persona que se está ahogando.

4. Coloque su puño sobre el ombligo con el pulgar hacia adentro.

5. Envuelva el puño con la otra mano, posteriormente empuje hacia arriba y hacia adentro.

6. Realice cinco compresiones abdominales.

7. Repita hasta que la persona pueda expulsar la comida o pueda toser por sí misma.

En cuanto a RCP

1. Coloque a la persona sobre una superficie firme.

2. Revise el interior de su boca, luego incline su cabeza y mentón.

3. Realice entre 100 y120 compresiones torácicas por minuto.

4. Agregue dos respiraciones de rescate por cada 30 compresiones torácicas.

5. Realice esto hasta que llegue la ayuda médica.

Fortificación

También necesita fortalecer su granja contra ladrones e intrusos. Las cámaras de seguridad, los sensores de movimiento y las alarmas tradicionales, siempre confiables, juegan un papel muy importante para mantener a su familia segura y protegida.

Existen diversas opciones para la esgrima que incluyen:

- Cerca de postes y tablas (a menudo para pasturas de caballos)
- Valla de riel dividido
- Cerca eléctrica
- Cerca de alambre tejido

Una cerca tejida es una buena forma de asegurar su propiedad porque es un límite sólido. Incluso puede cubrirlo con alambre de púas para hacerlo aún más seguro.

Sus perros de granja también pueden convertirse en sus perros guardianes. Son uno de los mejores elementos de disuasión contra los ladrones.

Existen muchas otras habilidades de homesteading que puede agregar a esta lista para que su aventura sea aún más emocionante.

¿Cuál es el Coste de Homesteading?

La primera vez que profundiza en ello, la agricultura puede parecer simple e interesante. Después de todo, ¿qué puede ser más idílico que enlatar sus alimentos, que sus hijos jueguen con animales de granja o que todos se diviertan bajo el sol, cierto?

Sin embargo, tan pronto como coloque el primer poste de su cerca, se dará cuenta de que la granja puede ser costosa, especialmente cuando vive de un solo ingreso. Sí, remodelar la casa, preparar la tierra, construir dependencias y hacer crecer los rebaños de animales cuestan dinero.

Existen dos formas en que esto podría funcionar: comenzando poco a poco o arrancando a toda velocidad la primera vez. Supongamos que desea comenzar a cultivar menos de un acre de tierra, donde tendrá una casa pequeña, un garaje para dos autos, un estudio, un invernadero, un recinto para pollos, arbustos de bayas, manzanos, una fogata y una pila de abono. ¿Cuánto cree que costaría el mantenimiento?

El invernadero podría costar fácilmente $ 1,500 si es más elegante que las variedades emergentes de $ 500. Otros costos aproximados del jardín son:

- $120 por la cortadora de césped
- $120 por día de alquiler de Rototiller
- $50 por las herramientas de jardinería (aunque puede pedir prestadas a sus amigos o familiares al inicio)
- $20 por las charolas de semillas
- $160 por la tierra para macetas
- $28 por bolsa de fertilizantes orgánicos de lombrices
- $200 trasplantes
- $25 por el abono
- $40 por cada manzano
- $8 por cada arbusto de bayas
- $1,000 por la cerca
- $20 por la tela metálica
- $100 por diversas semillas
- $20 por riego mensual

También puede construir jaulas de tomates con madera de desecho. La cantidad aproximada que gastaría en un jardín de 1,300 pies cuadrados sería de aproximadamente $ 3,600 desde el inicio.

Esta es solo una estimación aproximada de lo que compraría porque eventualmente agregaría otros productos a sus gastos mensuales. Puede reducir algunos de los gastos, como el fertilizante de lombrices y algunas de las semillas, cuando finalmente aprenda a hacer sus propios fertilizantes y a recuperar las semillas.

Los trasplantes pueden reducirse al 50 por ciento o eliminarse de la lista.

Si planea cuidar pollos, estos son los costos involucrados:

- $12 por pollito
- $70 por la bañera de cría
- $12 por la lámpara de calor
- $15 para el comedero
- $15 para el bebedero
- $200 para la construcción de gallinero
- $26 para el comedero para gallinas
- $32 para el bebedero para gallinas
- $50 para el calentador de agua (para usar durante el invierno)
- $240 al año para el alimento o aproximadamente $20 por mes
- $228 anuales para premios
- $60 anuales por el lecho

Tener seis pollos costaría alrededor de $ 960 cada año con un mantenimiento anual de $ 500 + para el alimento, los premios y el lecho.

Más allá de estas cantidades iniciales, la realidad de homesteading es que puede realizar sus sueños y vivir la vida de un jubilado mucho antes de llegar a sus años dorados, y esto no tiene precio.

No necesita grandes cantidades de dólares en su banco o inversiones solo para comenzar su aventura de homesteading. Y ahora que es un granjero, piense que sus inversiones ya no son solo en forma de dinero. Incluso ahora puede invertir su tiempo. Un ejemplo es cuando comienza a preparar su jardín para su proyecto de autosuficiencia.

Le costará dinero comprar las primeras semillas y otras herramientas de jardinería, pero una gran parte de su esfuerzo resultará en almacenar verduras y frutas en frascos y latas. Estos pueden durar semanas, incluso meses, dependiendo de cómo los racione.

Con estos alimentos y eventualmente las carnes que proporcionará el ganado, se pueden realizar más inversiones. Tendrá que seguir desafiándose a sí mismo si quiere vivir o semi-jubilarse en su propiedad.

No existe una única forma correcta de hacerlo, pero existen pautas. En la parte superior de estas reglas está salir de su zona de confort. Elija un gasto mensual y luego encuentre el promedio de cada mes durante los últimos años. A continuación, puede pensar en formas de reducir ese gasto o eliminarlo. Esto se relacionará con ahorros que también puede replicar con otros gastos.

Homesteading ayudará a liberarse lentamente de los gastos mensuales habituales. La mayoría de las personas tienen los siguientes gastos de los que preocuparse cada mes:

- Hipoteca o alquiler
- Seguro
- Impuestos
- Gas
- Pagos del automóvil
- Utilidades
- Ropa y
- Comida

La renta o la hipoteca se pueden erradicar por completo comprando una casa móvil (para los propietarios de viviendas a pequeña escala) o comprando una parcela de tierra (para las viviendas a gran escala). El primero podría costar tan solo $ 5,000.

El seguro de propiedad costará menos cuando el valor de la tierra sea menor. La propiedad total de los activos incluso lo liberará de gastos adicionales. También puede comprar un automóvil usado en lugar de uno nuevo para poder pagarlo en efectivo o establecer pagos mensuales más sencillos.

Piense en el tipo de vehículos que necesitará en su propiedad. Tenga en cuenta que necesitará una camioneta para las tareas agrícolas y un automóvil con un kilometraje decente. Los vehículos más antiguos reducirán en gran medida los costos de impuestos y seguros. Muchos estados tienen evaluaciones de impuestos a la propiedad personal sobre vehículos anualmente. Si no va a viajar desde su casa al trabajo, puede ahorrar dinero en gasolina o diésel.

En cuanto a las facturas telefónicas, investigue qué proveedor de servicios de telefonía celular le ofrecerá el plan más competitivo. Ahora existen teléfonos de Internet que cuestan solo $ 19,95 al año (menos el acceso a Internet).

Este tipo de teléfono o celular de bajo costo es el más adecuado para usted si necesita ahorrar más dinero. Verifique si existe acceso a Internet rural en el área donde se muda. Puede recurrir a Internet por satélite si las empresas de cable, DSL y telefonía no llegan demasiado lejos.

Los costos también siguen siendo competitivos, especialmente para las ofertas para computadoras portátiles inalámbricas. En cuanto a la electricidad, tiene la opción de utilizar paneles solares y otras fuentes de energía, como el viento y el agua.

Puede tener un pozo privado (o más) en su propiedad. Este podría ser un agujero literal en el suelo o uno que funcione con una buena bomba. Puede instalar filtros de agua para que su agua siga siendo potable.

A partir de 2020, el costo de una buena perforación es de $ 5,500 para una profundidad de 150 pies. El precio por proyecto puede variar, pero el rango puede oscilar entre $ 1,500 y $ 12,000. Los pozos de agua residenciales cuestan entre $ 15 y $ 25 por pie cuadrado, mientras que los sistemas agrícolas o de riego cuestan más entre $ 35 y $ 55 por pie cuadrado. Se estima que un acuífero en lugar de una bomba eléctrica cuesta entre $ 25 y $ 45 por pie cuadrado.

Si hay un pozo existente en su casa, pero ya no puede sacar agua de él, puede perforarlo nuevamente. El costo de volver a perforar es de $ 300 a $ 600 por la mano de obra más los materiales.

Cultivar sus alimentos es la motivación más común para que muchas personas elijan una vida de homesteading. Sin embargo, debe considerar los gastos de gasolina si necesita transportar las verduras y frutas cosechadas a lugares donde pueda venderlas o intercambiarlas.

La elaboración de manualidades también cuesta dinero, dependiendo del tipo que realice. Sus opciones incluyen manualidades de pasatiempo como crochet, acolchado y tejido de punto, o manualidades que pueden aumentar sus ingresos familiares, como fabricación de jabón y velas, manualidades con papel, producción de aceites esenciales e incluso coser cortinas.

Los pollos, grandes o pequeños, cuesta menos alimentarlos cuando deambulan libremente dentro de su área protegida. Los huevos que ponen incluso se pueden agregar a sus artículos para el intercambio o guardarlos para su consumo. Existe menos o ningún problema con estos pollos de corral.

También puede criar conejos para su carne. Esta es otra forma asequible y saludable de comer y mantener a su familia. Para heno, pellets y alimentos frescos de buena calidad para un conejo, un estimado es de alrededor de $ 25 por mes.

La cría de vacas lecheras (cuesta entre $ 2,000 y $ 5,000 por vaca) y cabras (el rango de precios es de $ 75 a $ 300) también reduce su dependencia de los vendedores comerciales de alimentos. Con estos animales, puede producir su propia leche, helado, queso y mantequilla. Si tiene más de ellos, incluso puede intercambiarlos o venderlos para poder comprar otros bienes con dinero.

Y donde hay ganado, frutas y verduras, también hay basura. Muchos colonos llevan su basura a las estaciones de transferencia de forma gratuita. Para los gobiernos locales menos comprensivos, la recolección de basura podría tener un costo mínimo. El costo mensual de recolección de basura puede ser de $ 15 aproximadamente. Esta es una conveniencia adicional para su estilo de vida de homesteading, pero puede elegir de otra manera manteniendo un foso de abono y aprendiendo a reciclar.

Otra compra importante para la que debe prepararse para poder comenzar formalmente su vida como granjero es cómo comprar el terreno perfecto para la granja.

Aprenderá más sobre esto en un capítulo por separado.

Cómo Evitar los Errores Más Grandes de Homesteading

Bien, entonces está listo para adoptar el nuevo nivel de libertad que ofrece homestading. Aquellos que han comenzado antes que usted saben que puede ser un proceso de prueba y error, pero cuanto más aprenda los conceptos básicos, mejor le irá. ¿Y qué mejor manera de aprender que mantenerse alejado de los errores que cometieron otros granjeros?

Los Errores de Homesteading Más Comunes

Investigación Insuficiente

Homesteading puede parecer fácil a través de su fachada. Compra pollos, los coloca en gallineros y luego busca recolectar sus huevos y, eventualmente, su carne, pero todo esto requiere esfuerzo y tiempo.

Asegúrese de investigar, en gran medida, y de entrevistar a los granjeros que lo han hecho durante años.

Este libro debe proporcionar los fundamentos de homesteading, así que tómese el tiempo para leer y aplicar lo que aprenda.

Planificación Cero

Dado que uno de los pasos necesarios de cualquier proyecto es comenzar con un plan, no tener uno definitivamente resultará en un desastre. Ya sea que solo desee tener un patio pequeño o acres amplios, es fundamental comenzar con un plan.

Imagine no tener un plan cuando se enfrenta a estos problemas:

• La cantidad de animales que puede criar de manera humana y segura

• El costo de la ganadería

• Las plantas que crecen mejor en su localidad

• Cuándo plantar, etc.

También necesita configurar un plan de negocios antes de mudarse al campo. Al comprar acres de tierra, ¿con qué apoyaría a su familia? ¿Cómo pagará la hipoteca?

¿Venderá sus animales o se convertirá en asesor de granjas? ¿Sería un blogger granjero?

Independientemente de lo que planee hacer, prepare más de una cosa porque necesita algún tipo de ingreso para mantener su nueva propiedad.

Expandirse Demasiado Pronto

Hacer planes poco realistas es, técnicamente, lo opuesto a no hacer planes en absoluto. Sin embargo, la desventaja de esto, por supuesto, es que las personas que tienen planes poco realistas ni siquiera se dan cuenta de que no son prácticos.

El idealismo es grande, pero no hasta el punto de la inviabilidad. Debe evaluar seriamente si los objetivos que se establecieron son realmente alcanzables. Además, considere si el marco de tiempo que estableció es posible.

Por ejemplo, criar algunas gallinas es realista, pero hacer esto además de construir una cerca, construir el gallinero, cavar un pozo y talar los árboles, todo durante la primera semana, simplemente no sucederá (a menos que tenga recursos humanos adicionales). Esta es la receta perfecta para hundirse mucho antes incluso de comenzar a cultivar.

Divida los objetivos en tareas más reducidas y realistas.

Establecer el Presupuesto Incorrecto

Existen algunos granjeros que, en su entusiasmo, deben haber calculado incorrectamente su presupuesto de vivienda. Los problemas comunes que pueden surgir al establecer un presupuesto incorrecto incluyen:

● No poder comprar suficientes semillas durante la temporada de siembra.

● Incapacidad para cubrir los gastos ocasionados por emergencias (por ejemplo, enfermedades humanas o del ganado y reparaciones de maquinaria y equipo).

●Quedarse sin ingresos, especialmente cuando decidió dejar su trabajo cuando se mudó.

Hacer un presupuesto asegura que estará financieramente seguro y libre de deudas (o, al menos, tendrá una deuda mínima) hasta que pueda depender completamente de su granja.

Dado que más adelante aprenderá sobre las fuentes de ingresos de la granja, lo que debe hacer, inicialmente, es crear un presupuesto mensual. Un simple cuaderno y un bolígrafo pueden ser sus herramientas, o puede usar una hoja de Excel o acudir a Internet y buscar aplicaciones que pueda usar para impulsar la planificación de su presupuesto.

Recuerde que cada presupuesto mensual debe incluir lo siguiente:

- Facturas recurrentes
- Facturas próximas/irregulares (facturas trimestrales o anuales)
- Compras grandes o estacionales
- Préstamos, deudas, hipotecas, pagos del automóvil, etc.

Prepare una hoja de cálculo o haga un gráfico en un cuaderno. Algunas personas simplemente usan tablas en un documento de Word.

A continuación, agregue todos los flujos de ingresos y deduzca las facturas mensuales. Asegúrese de indicar las fechas de vencimiento para que no las olvide. Así mismo de reservar ahorros incluso cuando todavía esté pagando algunas deudas.

Inserte la fórmula en su hoja de Excel o calcule manualmente las cifras. Reúna los recibos para que sea más fácil calcular sus gastos.

Nunca confíe solo en su memoria. Es recomendable mantener registros o tomar una fotografía con la cámara de su teléfono cada vez que realiza una compra.

El mantenimiento de registros tampoco se limita a contabilizar sus ingresos y gastos.

Puede mantener registros de los cultivos que plantó recientemente, el ganado, los cultivos cosechados y cuánto logró conservar.

Piense en administrar su propiedad como lo haría con un negocio: debe estar al tanto de todo. Nunca aborde homesteading como un simple pasatiempo porque la agricultura es un negocio serio. Cada nuevo proyecto que se agrega a su hogar es, en esencia, una inversión.

Inspección Cero de la Tierra

El problema de no evaluar la tierra que va a utilizar para la agricultura es que puede que no produzca el rendimiento que esperaba inicialmente. El manejo del suelo será parte de la agricultura, por lo que le conviene inspeccionar físicamente la tierra en la que va a invertir. La tierra, después de todo, será la base de su próxima granja.

Tómese el tiempo para investigar qué estados ofrecen las mejores tierras para la agricultura. Algunas propiedades pueden verse perfectas durante el verano, pero pueden ser incontrolables durante las otras estaciones.

Conozca sus opciones y la cantidad de tierra que necesitaría para su granja soñada. Existen fincas de campo y granjas para elegir, pero no asuma que la zonificación permitirá automáticamente los animales de granja.

Es recomendable comprobar primero. Lo crea o no, algunas reglas permiten caballos, pero prohíben conejos y gallinas en ciertas fincas. Cuanto más cerca esté su tierra de la ciudad, es más probable que tenga que lidiar con los estatutos sobre la propiedad del ganado.

Pregunte a los lugareños sobre la propiedad que está considerando. Compruebe si existen fuentes de agua corriente y un amplio espacio agrícola.

Comprar Animales Antes de Construir la Cerca y el Refugio

Se encargará de los animales, por lo que serán su responsabilidad. Asegúrese de que tengan abundante comida, agua y refugio, así como protección contra probables depredadores (por ejemplo, osos, zorros y lobos).

Muchos criadores encuentran agradables a los animales pequeños, así que los llevan a casa como si cada uno fuera a ser una mascota, no cometa este error.

Construya un refugio y una cerca adecuados en su granja y luego agregue el cobertizo para las cabras, la conejera y prepare el resto del granero.

Recuerde también construir las estructuras correctamente la primera vez, o estará buscando en su bolsillo proyectos de reestructuración.

Sin Conocimiento de Crianza

¿Planea vender los animales que producirá el rebaño?

Debe planificar si desea incluir la cría como parte de su propiedad. Después de todo, no es suficiente tener el coraje de matar a su propio animal o tener el número del matadero local. También debe pensar en sus clientes potenciales y en cómo tratar con la cría una vez que nazca.

Tome nota también de los costos de alimentación animal, ya que son costos recurrentes que debe incluir en su presupuesto. Además, tenga en cuenta el costo del gas, el equipo y su tiempo, incluso cuando prepare su propio heno.

Estos errores de homesteading para principiantes se pueden prevenir. No hay necesidad de agonizar como otros antes de haber sufrido. Si usted y su familia recién están comenzando, este libro le ayudará a comenzar su viaje de homesteading sin problemas.

PARTE DOS: VIVIR FUERA DE LA TIERRA

Encontrar un Terreno para su Granja

La mayoría de los estadounidenses cree que las hectáreas de cultivos y los corrales de engorda saturados son necesarios para alimentar a todos. Para muchos, la agricultura a gran escala con sus transgénicos y productos químicos es necesaria solo para que nadie muera de hambre. Incluso aquellos que saben que hacer agricultura de forma orgánica produce los mismos resultados, lo crean o no, se ven inclinados a pensar de otra manera.

Pero ¿cuánta tierra se necesita para alimentar a la nación? ¿Qué tal una familia?

Como atestiguan millones de agricultores y propietarios de tierras, esto depende de la calidad de la tierra y del tamaño de la familia que necesita mantener. Puede cultivar alimentos, todo lo que necesita, de hecho, en solo un pequeño terreno.

Necesita diseñar un sistema que funcione con procesos naturales para maximizar la producción de alimentos. El desarrollo de la tierra para la producción de alimentos puede comenzar con tan solo dos acres (o incluso menos).

Algunos principios y técnicas pueden incluso cultivar alimentos en tan solo el 25 por ciento de un acre. Si la gente de los suburbios puede vivir de su tierra, entonces, usted también puede.

Homesteading, así como la autosuficiencia, se ha vuelto bastante popular en los últimos anos. Sin embargo, la tendencia no debería convertirse de ninguna manera en su única razón para unirse a los cientos que han dado el paso.

Este libro lo guiará sobre cómo poner en marcha su granja mediante el aprendizaje de estrategias intensivas de jardinería, incluso con menos tierra. Lo inspirará a tener seguridad alimentaria lo antes posible. Lo preparará para emergencias que son todas realidades de la vida de la granja, pero antes de que se proponga adquirir las habilidades necesarias y ensuciarse las botas, ¿qué tal comprar primero un terreno para su granja?

Entonces, ¿cómo encuentra la tierra perfecta para su sueño de convertirla en una casa de campo?

Analizar diversas listas de propiedades inmobiliarias podría resultar complicado incluso cuando simplemente esté buscando una casa tradicional; buscar una propiedad de supervivencia es una tarea completamente diferente. Solo unos pocos agentes de bienes raíces tienen las habilidades para responder a sus necesidades de vivienda.

Antes de hacer una cita para ver una propiedad, primero hable con su banco para asegurarse de que, de hecho, está listo para un préstamo. Pregunte cuánto está dispuesta a prestar su institución financiera. Obtenga una carta de aprobación previa incluso antes de negociar el precio con el vendedor.

Existen muchas opciones además de una casa tradicional, así que busque a los agentes, preferiblemente, aquellos que estén interesados en corretaje de bienes raíces específicas. Si tiene dificultades para encontrar un agente inmobiliario de supervivencia en su localidad, busque uno que ya tenga una amplia experiencia en la lista y luego en la venta de propiedades agrícolas.

Un agradable pedazo de tierra de cultivo no siempre se traduce en una granja de supervivencia, así que asegúrese de inspeccionar sus opciones más de cerca. Seguramente se le presentarán propiedades bucólicas, y existen ciertos aspectos de este tipo de tierra que necesita analizar.

Suministro de Agua

Si la tierra, sin importar cuán idílica pueda parecer, ni siquiera tiene una sola fuente de agua natural, entonces haga que la retiren de sus posibles viviendas. Busque un estanque natural, manantial, lago o un arroyo o frente a un río porque son las fuentes ideales y sostenibles de agua para la granja.

Si su potencial terreno responde a todos sus requisitos, excepto la fuente de agua, entonces compruebe si su terreno pudiera soportar uno (o más) estanques artificiales.

Verifique la antigüedad de los pozos subterráneos dentro de la propiedad antes de hacer cualquier oferta al vendedor. Si no hay pozos, serán $ 15.000 adicionales para perforar uno.

Si planea desconectarse de la sociedad, entonces debe ser capaz de ir a buscar agua, así que sea cuidadoso con sus fuentes de agua manualmente.

Superficie

No se deje tentar por precios de rebaja. Tomemos, por ejemplo, las tierras de cultivo de reparaciones superiores que tienen el potencial de convertirse en una finca de supervivencia. Podría tener todos los acres que necesita (más algunos), pero si la mitad es boscosa y lo que necesita son pastizales, entonces tiene mucho trabajo por hacer para adaptar la tierra a sus necesidades.

Es posible cultivar y cosechar abundantes alimentos que puedan alimentar a una familia de cuatro (muchos granjeros expertos ya lo han hecho) en una tierra de tres acres (o incluso menos). Lo que necesita son las habilidades para tomar el control de los recursos naturales y hacer un buen uso de cada centímetro de la tierra.

El tamaño de tierra ideal para una granja de supervivencia depende en gran medida del tamaño de su familia, el presupuesto, las habilidades, la disponibilidad de trabajo, los tipos de ganado que se crían y los atributos naturales que se necesitan para mantener un estilo de vida agrícola.

La construcción de sus reservas de alimentos requiere al menos cinco acres de terreno familiar. Aquí, producirá ganado como conejos, cabras y gallinas. Puede optar por agregar pavos, patos, cerdos y una vaca.

Plan de Jardinería

Así es, deberá acostumbrarse a la planificación. Planifique el tamaño del jardín que pueda alimentar a su familia. Necesita un diseño más extenso si desea tener un mes de reserva, y ahora, con una representación visual de la tierra potencial ante sus ojos, podrá redactar adecuadamente las estrategias de jardinería.

Considere también si cultivará un jardín tradicional o uno vertical. ¿Será necesario construir un invernadero? Planifique dónde ubicará el jardín. En la medida de lo posible, sitúelo completamente oculto de la carretera y de sus vecinos.

Imagínese tener un imprevisto a largo plazo, y con su jardín a la vista, fácilmente podría convertirse en el objetivo de los merodeadores o sus vecinos como un niño hambriento.

Obtenga también una muestra de suelo antes de firmar el contrato. Compruebe si la capa superior del suelo es arenosa, arcillosa o franca. Asegúrese de que pueda conservar los verdes vibrantes que observa durante la inspección.

Refugio

Al final del día, el terreno que va a comprar es donde vivirá, así que podrá definir lo que quiere. Encuentre un terreno cerca de su casa. Si está apegado a su cultura local, entonces, por supuesto, permanezca ahí. Si su felicidad se define por un sentido de comunidad, entonces busque un lugar con una cultura y un idioma que le sean familiares a usted y a su familia.

Brett R. McLeod, Ph.D. de la Universidad de Antioch en Inglaterra, cree en el poder de la conectividad y el estilo de vida localizado como una alternativa a la cultura de consumo popular.

Visualice el hábitat que creará. ¿Le gustaría recoger manzanas y naranjas? ¿Prefiere ordeñar sus vacas? ¿Conservaría alimentos en su despensa? Las tendencias naturales e innatas de la tierra pueden ser difíciles de evaluar a primera vista, pero la investigación será de gran ayuda. Recuerde que cuando los humanos luchan contra la naturaleza, la mayoría de las veces, esta última siempre gana.

Busque campos cubiertos de maleza, lotes descuidados, terrenos irregulares y lugares apartados. El clima general de la zona también es importante. Si prefiere el calor subtropical de California o Florida, entonces ese es el mejor lugar para que establezca su granja.

Visite el tribunal y busque mapas. Tómese el tiempo para familiarizarse con las cuencas hidrográficas y la topografía de la región. ¿Preferiría un terreno plano o uno con suaves colinas?

Hable con los lugareños, como los agricultores, los vendedores, los propietarios de las tiendas de alimentos, el personal de reparto y los vecinos potenciales.

Con todo, no confíe en los anuncios inmobiliarios, solo crea lo que ve y escucha. Pregunte y compare precios. Inspeccione las carreteras y busque áreas con personas que se dedican a la agricultura. Tenga en cuenta que las tierras extensas y despejadas que pueden alojar tractores enormes van a ser costosas, y las que ya se utilizan en la agricultura pueden tener suelos saturados de productos químicos.

A veces, la respuesta a sus requisitos de vivienda se encuentra, descuidada, en un espacio abandonado, así que mantenga la mente abierta.

Tierra Libre

La despoblación en las comunidades rurales, provocada por la afluencia de personas que buscan trabajo en las ciudades, ahora está siendo revertida lentamente por la tendencia de las granjas. Ahora se ofrecen terrenos gratuitos a los posibles residentes en los siguientes estados:

Alaska

La tierra aquí se vende para propiedad privada y asentamiento. También existe un programa en el que los solicitantes pueden financiar un terreno en un área remota reservada, específicamente, para uso recreativo. Estas parcelas de tierra se alquilan por un tiempo limitado y los solicitantes tienen la oportunidad de comprarlas a un valor justo de mercado después de una evaluación y una encuesta.

No es necesario cumplir con los requisitos de prueba o construcción; puede solicitar este programa siempre que sea residente de Alaska.

Iowa

También se ofrecen terrenos gratuitos a las familias que pueden construir una residencia en lotes específicos. La Corporación de Desarrollo Económico de Manila hace la oferta a costo cero para familias e individuos.

Marne, IA, también ofrece terrenos gratuitos con un promedio de 80 'x 120'. Puede presentar su solicitud a través del sitio web de la ciudad.

Kansas

Existe un gran número de comunidades en este estado que ofrecen terrenos gratuitos para atraer a posibles residentes. La mayor parte de esta tierra son lotes municipales con servicio que son adecuados para la jardinería, pero pueden no ser los mejores para la agricultura a gran escala.

También existen restricciones sobre el tamaño de la casa, así como el tiempo que necesita para terminar de construir. Encuentre oportunidades en Lincoln, Mankato, Marquette, Tescott y Osborne.

Minnesota

New Richland ofrece un terreno de 86 'x 130' a cualquier persona interesada en construir una nueva casa en solo un año. La ciudad tiene un sitio web gratuito que puede visitar.

Nebraska

La ciudad de Beatrice regala terrenos de la ciudad a cualquier individuo o familia que esté dispuesto a construir una casa y luego vivir en esa casa durante tres años (Homestead Act de 2010).

Hasta ahora, el programa ha demostrado ser un éxito. Otras ciudades también ofrecen tierras gratuitas y otros incentivos para sus nuevos residentes. Encuentre oportunidades en Curtis, Central City, Giltner, Elwood, Kenesaw, Juniata y Loup City. Póngase en contacto con las oficinas municipales de estas localidades para considerar sus opciones.

Otras Oportunidades

Estos también podrían presentarse como hogares rurales con propietarios que tienen que trasladarse a comunidades de vida asistida. Estos propietarios pueden estar buscando futuros ocupantes o personas que deseen cuidar la propiedad en este momento. Piense en el cuidado como su pie en la puerta.

Busque también oportunidades de cooperación. Es posible que algunos granjeros a gran escala ni siquiera pudieran pagar sus tierras, si no fuera por sus acuerdos compartidos con otras familias de granjeros.

La vida cooperativa no es un arreglo nuevo, aunque puede que no sea tan común como las cooperativas de vivienda en ciudades y pueblos.

Los jardines y huertos compartidos son medios prácticos para cultivar sus alimentos inicialmente. Puede optar por no participar más adelante o ser como algunos de los granjeros que se han quedado en tierras cooperativas durante décadas.

Por último, antes de depositar efectivo, también debe verificar lo siguiente:

- Derechos de acceso a la propiedad (asegúrese de tener un acceso transferible permanente y legal especificado, al pie de la letra, en la escritura).

- Asuntos de alcantarillado y drenaje.

- Derechos minerales (preferirá estipular lo que le servirá como compensación si se descubre carbón o cualquier tipo de mineral en su propiedad).

- Derechos de madera (verifique cuánta madera se le otorga hasta que la tierra ya esté pagada).

- Derecho de acceso a propiedad (por supuesto, no querrá construir un huerto justo en medio del derecho de tránsito de un vecino).

- Permisos y zonificación.

Protéjase en todos los aspectos: esta es la regla básica para buscar ese pedazo de tierra perfecto. Haga que todas las transacciones se registren en el registro público; como dice el refrán, *es mejor prevenir que lamentar.*

Cultivando su Propia Comida

El cultivo de frutas y verduras no tiene por qué ser abrumador. También ofrece muchos beneficios, ya sea que esté cuidando un jardín trasero o se haya comprometido con una vida de agricultura.

Comer productos frescos es una de las principales razones para cultivar y cosechar su propia comida. Puede ayudar a mejorar la salud de su familia mientras cultiva alimentos en su patio trasero. El contenido de vitaminas de estos alimentos estará en sus niveles más altos porque provienen directamente de su jardín.

Otra razón para cultivar frutas y verduras es para ahorrar algo de dinero en comestibles. Un paquete de semillas cuesta menos de un dólar, pero tiene el poder de reducir su factura de comestibles más adelante.

La jardinería también puede ayudar al planeta de muchas maneras, especialmente cuando decide decir "no" a los herbicidas y pesticidas. Gracias a usted, no importa cuán pequeña sea su contribución inicial, habría menos contaminación del agua y del aire.

Todo el deshierbe, la siembra, el riego y la eventual cosecha son actividades físicas que también pueden servir como ejercicio al aire libre, así que continúe y comience a cultivar un huerto.

El Suelo del Jardín

El suelo es un factor fundamental para el éxito de un jardín, independientemente del tipo de jardín que planee cultivar. Se necesitará tiempo e investigación para encontrar el tipo de suelo adecuado, probarlo y finalmente usarlo para cultivar sus plantas.

Existen dos texturas de suelo extremas: suelos arenosos y arcillosos. Las partículas de arena más gruesas se conocen como grava. Al tocarlo se desmoronará fácilmente. El suelo arcilloso, por otro lado, es más suave. Cuando está mojada, la arcilla es pegajosa y se untará fácilmente como la pintura.

Cuando se mezclan arcilla y arena, este es el suelo ideal para la jardinería, que se conoce como marga. El franco arenoso permite el drenaje del exceso de agua, mientras que el franco arcilloso retiene el agua. Recuerde que el suelo de jardinería ideal tiene partes iguales de agua y aire.

Cuando escucha sobre la materia orgánica, esta es simplemente la materia vegetal y animal que está experimentando el proceso de descomposición. Agregar humus ofrece pequeñas cantidades de productos químicos que se necesitan para el crecimiento de las plantas. También existe abundante alimento para las bacterias en el suelo, que, a su vez, proporciona productos químicos orgánicos a las plantas en crecimiento.

El humus es lo que necesita para mantener la tierra del jardín porosa y abierta. Esto permite que el agua y el aire penetren en el suelo, al mismo tiempo que actúa como una esponja que mantiene las raíces saludables para que puedan retener los nutrientes.

¿Qué más Necesitan sus Plantas?

Las plantas necesitan carbono, oxígeno e hidrógeno para crecer. Obtienen todo lo anterior del agua y el aire junto con el suelo. También necesitan fósforo, nitrógeno y potasio que pueden ser suministrados por fertilizantes.

Otros elementos necesarios son magnesio, azufre, hierro y calcio. Estos están disponibles en la mayoría de los suelos. Los oligoelementos como zinc, manganeso, boro, cobre y molibdeno se pueden agregar en cantidades diminutas.

Todos estos elementos deben estar presentes, como formas insolubles, tanto en el suelo como en el agua y el aire.

Existen tres elementos que todo fertilizante debe tener para que se pueda clasificar como completo: nitrógeno, potasio y fósforo. Tenga en cuenta que, por ley, las cantidades que contiene el fertilizante de cada elemento deben estar claramente indicadas en el paquete. Si se agrega boro, el número también se indicará en el paquete.

El nitrógeno se deriva de los subproductos de los mataderos como los huesos y la sangre, el fósforo se procesa a partir de la roca fosfórica y el potasio proviene de las cenizas de madera.

Otro aspecto que también debe verificar con respecto al suelo es si es ácido o alcalino. El suelo del jardín puede ser neutro o cualquiera. La mayoría de las plantas de frutas y verduras prosperan en suelos neutros o moderadamente ácidos. Incluso hay plantas que demandan suelo ácido, mientras que pocas plantas demandan suelo dulce o alcalino.

También debe verificar el subsuelo que es la capa justo debajo de la superficie. Puede estar a unas pocas pulgadas de profundidad o puede llegar a tener una profundidad de 20 pulgadas. Esto puede estar repleto de grava o arena; es por eso que debe verificar qué tan profunda es esta capa, ya que las plantas solo obtienen los nutrientes de la capa superior del suelo.

El subsuelo arenoso o arcilloso es difícil de trabajar porque requiere un sistema de drenaje. Sin embargo, el subsuelo arenoso puede corregirse agregando turba, estiércol y materia orgánica. La siembra de abonos verdes como avena, centeno, raigrás, trébol y arveja también puede mejorar el subsuelo arenoso.

Otras formas de mejorar el suelo es mezclar arena con suelo arcilloso y viceversa. Una aplicación de estiércol mixto de vaca y caballo (de aproximadamente dos a tres pulgadas de espesor) es el método más rápido para mejorar el suelo y agregar alimentos vegetales. El estiércol ya tiene que estar parcialmente podrido.

Utilice estiércol de oveja y pollo solo cuando esté mezclado con abono u hojas secas. Si el abono es difícil de conseguir, el abono verde y la turba son buenas alternativas.

La Pila de Abono

La base de una pila de composta se compone de lo siguiente:

1. Los tallos secos y los escobajos de maíz, caléndula y zinnia permanecen en la parte inferior

2. La siguiente capa es un corte de césped de seis pulgadas de profundidad hecho con hojas muertas, cáscaras y frutas podridas y desechos vegetales

3. A continuación, un musgo de turbera de tres pulgadas de profundidad

4. La cuarta capa es una turba de 3-6 "de profundidad

5. Lima

6. Estiércol

7. La capa superior es el fertilizante completo.

Comenzando en la segunda capa, repita la secuencia hasta que el cúmulo alcance cuatro o seis pies. Los lados del cúmulo deben inclinarse hacia adentro, con la parte superior izquierda presionada para contener el agua.

Una vez completado, la pila debe regarse. Asegúrese de que cada capa esté saturada de agua, pero no hasta el punto de desbordarse.

Cosas que puede agregar a su pila de abono:

- Comida para perros, peces o gatos
- Pelaje por cepillar a los perros
- Heno de alfalfa
- Excremento de abeja
- Estiércol de vaca, caballo o cabra
- Plantas de acuario
- Excremento de pájaros
- Desechos de pescado
- Crin
- Plumas

Además de las cosas para mascotas, también puede agregar elementos de lavandería como:

- Pelusa de la secadora
- Ropa de algodón o mezclilla triturada
- Toallas viejas trituradas
- Calcetines viejos triturados

Artículos de cocina que también se pueden tirar a la pila:

- Servilletas de papel
- Toallas de papel
- Verduras que se han quemado en el congelador
- Bolsitas de té
- Arroz y pasta cocidos
- Granos de café
- Filtros de café
- Cereal caducado
- Papas fritas, pan y galletas caducados

- Corchos de vino picados
- Cáscaras de nueces, excepto de nogal
- Cajas de comida y cartón triturado
- Palomitas de maíz
- Cerveza caducada
- Especias añejas
- Vino añejo
- Cáscaras de huevo
- Yogur caducado
- Mazorcas de maíz
- Recibos de papel
- Sobrantes de ensaladas
- Semillas picadas
- Cortezas de pizza
- Cualquier envoltorio de papel

Incluso la basura de la oficina se puede agregar a la pila de abono:

- Papeles y facturas triturados
- Notas adhesivas
- Virutas de lápiz
- Sobres de papel (ahora los de tipo ventana)
- Tarjetas mate de presentación

Y, por supuesto, artículos del hogar que también puede convertir en abono:

- Periódicos
- Popurrí usado
- Contenido de una aspiradora

- Hojas de plantas de interior
- Flores secas de jarrones
- Cenizas de chimenea
- Pañuelos de papel usado
- Papel higiénico triturado y sus tubos de cartón
- Guantes de cuero viejos
- Sábanas viejas trituradas
- Pegamento
- Corte de navaja
- Carteras de cuero y correas de reloj
- Trozos de jabón Ivory
- Bolas de algodón
- Tarjetas de felicitación
- Fósforos usados
- Recortes de uñas de las manos y los pies

Frutas y Vegetales

No hay nada como disfrutar de un plato fresco de ensalada hecha a mano con los ingredientes recolectados de su jardín. Para comenzar a disfrutar de estas verduras recién cosechadas, debe encontrar el lugar correcto que reciba suficiente luz solar durante el día, pero que también tenga sombra durante las horas más calurosas de la tarde. La sombra puede ser cualquier estructura permanente o un árbol de gran altura. También puede usar paño de sombra si no tiene otra opción.

Para espacios reducidos, puede cultivar su huerto verticalmente. Las mejores plantas que se benefician del crecimiento vertical son: frijoles, guisantes, pepinos, flores enredaderas, calabacines y tomates.

Necesitará un enrejado (barras de madera o de metal que se usan para sostener las plantas trepadoras) para estas verduras para que pueda podarlas y cosecharlas mejor.

Cultivar verduras en macetas también es común en muchos apartamentos y casas pequeñas. Puede comenzar con esto por ahora, y luego eventualmente podría buscar un lote de vecindario vacío que pueda convertir en un jardín comunitario.

Incluso los principiantes pueden comenzar a plantar vegetales de crecimiento rápido pronto. Cuanto más corto sea el tiempo entre la siembra y la cosecha, más rápido crecerá la variedad de hortalizas.

Otros factores que influyen en el crecimiento de un vegetal son la luz solar, los nutrientes del suelo, la abundancia de agua y el tiempo y la energía que dedica a cuidarlos. Entonces, ¿le gustaría aprender sobre las verduras más fáciles de plantar en su nuevo jardín?

Calabacín

Esta es, quizás, la verdura más infalible para cultivar en su granja. Esta es una planta de bajo mantenimiento que crece en casi cualquier tipo de suelo y clima. Es el cultivo perfecto.

Sin embargo, no permita que crezca demasiado. Congele los cultivos sobrantes para usarlos más tarde para hornear pan y preparar sopas y salsas.

El calabacín también se puede cultivar en los jardines de la azotea (ideal para los propietarios de apartamentos) y en macetas.

Verduras

Recuerde las verduras de hoja verde como la lechuga, la col rizada, la rúcula y la espinaca porque son increíbles para los cultivadores principiantes. Estas maduran en tan solo tres o cuatro semanas; para cosechar, simplemente corte la parte superior o recolecte algunas hojas.

La espinaca es un cultivo exquisito que crece mejor en climas fríos, por lo que es mejor plantar el cultivo inicial cuatro semanas antes de la fecha de la última helada y luego la segunda cosecha alrededor de seis u ocho semanas después de la fecha de la última helada. Puede cosechar espinacas en tan solo 90 días. Simplemente recolecte las hojas exteriores para que pueda cosechar continuamente durante la temporada.

La col rizada, por otro lado, es una verdura de hoja verde nutritiva y de sabor dulce que también se planta mejor durante el clima más fresco. Incluso puede crecer durante el invierno. Se puede plantar una cosecha de primavera cuatro semanas antes de la fecha de la última helada, y la segunda cosecha se puede plantar a fines del verano o al comienzo del otoño. Puede cosechar la col rizada en 60 días cuando haya madurado por completo. Las hojas tiernas también se pueden cosechar antes, pero asegúrese de dejar cuatro o más hojas para que aún puedan crecer.

La rúcula tiene un sabor único que se usa en ensaladas y, a veces, con pollo y otras variedades de carne. Plante la rúcula solo unas semanas antes de la última fecha de helada y luego la segunda cosecha durante el otoño. Tan pronto como vea flores, retírelas para que la planta pueda crecer más. Solo se necesitan 20 días para que las hojas jóvenes se desarrollen, 40 días si desea una cosecha madura.

La lechuga es un alimento básico para las ensaladas, pero también es un verde de hoja que se puede incluir en cualquier tipo de dieta. Al igual que sus primos, crece mejor en clima frío, así que plante los cultivos de primavera unas cuatro semanas antes de la última fecha de helada. Los cultivos de otoño se pueden plantar aproximadamente cuatro semanas antes de la fecha de la helada inicial.

La lechuga tarda 40 días en madurar, aunque puede cosechar las hojas incluso cuando aún son pequeñas.

Frijoles

Estas leguminosas son alimentos con una gran carga nutricional que se pueden consumir de diferentes formas. Se secan fácilmente, son comestibles incluso crudos y son un alimento básico en cualquier huerto.

Plante frijoles cuando esté seguro de que el suelo estará constantemente cálido. Muchos frijoles maduran en solo 60 días, aunque algunos pueden tardar hasta cien días. Los agricultores prefieren usar un enrejado cuando cultivan frijoles para obtener un mayor apoyo y frutos con mayor sabor.

Guisantes

Este es un producto prolífico. Los guisantes vienen en diferentes variedades, pero los guisantes son excelentes para las granjas iniciales porque pueden crecer durante todo el año. Plantéelos una o dos semanas antes de la última fecha de helada. Cosecha en 40-60 días.

Cebollas Verdes

Estos cultivos no solo agregan sabor a sus comidas; también son muy nutritivos. Al igual que los guisantes, la cebolla verde prefiere un suelo más cálido, así que asegúrese de que haya pasado la fecha de la última helada antes de plantarla.

Solo tarda 50 días en madurar para que pueda cosechar; aunque puede cosechar los tallos intermedios. Limite las cosechas de tallos, ya que pueden restringir el crecimiento del bulbo.

Zanahorias

Estos cultivos de raíces necesitan un suelo arenoso suelto, así que tenga paciencia usando fertilizantes tipo estiércol cuando los plante. Es recomendable plantar muchas zanahorias, ya que cultivarlas puede ser un poco complicado. Sin embargo, son un cultivo de gran práctica para usted, ya que su crecimiento ocurre fuera de su sitio.

Plante las zanahorias cuatro semanas antes de la fecha de la última helada y posteriormente coseche 60 días después.

Nabos

Una excelente fuente de antioxidantes y fibra, este cultivo de raíces es un alimento básico resistente y confiable. Algunos lo utilizan como sustituto de las patatas.

Plantéelo tres semanas antes de la última fecha de helada y luego coseche en primavera. Puede volver a plantar en septiembre para su cosecha de otoño. Solo tarda entre 30 y 60 días en madurar, con los nabos cosechados en 30 días y los cultivos maduros en 60 días.

Tomates

Pero ¿qué es una granja sin una parcela de tomates?

Espere 60 días antes de poder cosechar. Esto es después de plantar tras la última fecha de heladas en primavera y luego podar cada siete o diez días.

Maíz

Si tiene un terreno más extenso, entonces puede tener reservas de harina de maíz molido de sus propias plantas de maíz. La variedad dulce se puede comer de inmediato, en lata o incluso congelada.

Dado que esta es su primera vez, compre semillas en el mercado y luego plante con un espacio en hileras de 20 a 30 pulgadas. Plante alrededor de 33,000-38,000 semillas en cada acre. Aumente el número y podrá maximizar el rendimiento del maíz.

Consulte siempre el informe meteorológico. Plante una pequeña cantidad durante la estación seca y un poco más durante los meses más húmedos. Científicamente, la temperatura no debe ser inferior a 50 grados Fahrenheit. Asegúrese de que habrá entre cinco y 14 días de días cálidos por delante. La humedad del suelo no debe estar mojada, o estará demasiado compactada y el maíz no crecerá.

Agregue fertilizantes orgánicos según las necesidades de sus plantas. Si el suelo es fértil, no es necesario hacerlo.

Hierbas Medicinales

Las hierbas son plantas útiles que pueden mejorar la salud y el bienestar de todos. La mayoría de estos no son difíciles de plantar; hay muchos con hermosas flores y follaje único. También se pueden infundir fácilmente en cualquier borde de jardín; de hecho, algunos pueden crecer adecuadamente en macetas.

El arsenal básico sería el ajo, la albahaca y la menta; comience con algo pequeño, por lo que será difícil pasarlo por alto. Todos estos también se utilizan en la cocina, por lo que estará satisfaciendo las necesidades tanto gastronómicas como de bienestar.

Puede empezar con:

- Jengibre
- Raíz de regaliz
- Ginseng
- Mirra
- Hinojo
- Nuez

¿Y las frutas?

Bayas

Las moras, los arándanos y las frambuesas son frutas ricas en antioxidantes. Estos se consideran superalimentos por sus valores nutricionales.

Las cerezas negras son excelentes ingredientes para licor y mermelada. El árbol crece rápidamente a los dos o tres años, por lo que definitivamente tendrá que esperar.

Los arbustos pueden tardar entre uno y tres años en producir sus primeros frutos, pero posteriormente puede cosecharlos anualmente. Entonces, sin duda, las bayas son una buena inversión para el consumo durante todo el año.

Otros Árboles Frutales de Rápido Crecimiento

Se sabe que las higueras dan frutos después de solo uno o dos años de plantación. Son fáciles de cultivar e incluso se pueden plantar en macetas cuando vive en regiones más frías.

Las moras producen frutos en solo un año. También puede compartir sus frutos con los patos, gallinas y pavos.

Los melocotones pueden producir frutos en menos de tres años. Lo que necesitan es un suelo correctamente drenado y un compañero para que puedan polinizar de forma cruzada.

Los árboles de cítricos se pueden cultivar en macetas si tiene un espacio de jardinería limitado. Elija entre naranjas, limones y limas. Estos son autopolinizadores, por lo que no hay necesidad de preocuparse por comprar un par para producir frutas.

Estas son las verduras y frutas básicas que puede plantar con su jardín al inicio. Recuerde que puede comenzar a cultivar un huerto incluso con una pequeña parcela de tierra.

¿Vive en un apartamento? Entonces busque un balde y comience a plantar. Simplemente no hay excusa: ahora es el mejor momento para disfrutar de las bendiciones de la agricultura.

2 Trucos de Jardinería Homesteading

Ahora que aprendió qué verduras y frutas son las más fáciles de plantar y cosechar, seguramente cosechará pronto las bendiciones de su arduo trabajo. Mientras tanto, presentamos algunos trucos que aumentarán aún más su cosecha.

#1. Usar Tarimas de Madera

Las tarimas de madera se pueden convertir en jardines verticales o en jardineras de suelo elevado. Aquellos que tienen acres de tierra más pequeños o simplemente están ocupando sus jardines traseros harían bien en cultivar guisantes, pimientos, lechuga, albahaca, menta e incluso pepinos con tarimas de madera viejas.

Para hacer una jardinera de suelo elevado, necesitará:

- Tarimas de madera
- Tierra vegetal
- Tijeras
- Telas para jardín
- Grapadora con grapas
- Semillas y plantas

Método:

1. Limpiar las tarimas y posteriormente darles la vuelta.

2. Colocar la tela en la parte posterior de la tarima de madera.

3. Engrapar los lados, asegurándose de que la tela esté tensa.

4. Dar la vuelta a la tarima y comprobar si tiene perforaciones por donde se pueda filtrar suciedad.

5. Llenar las tarimas con tierra vegetal de su jardín o una mezcla de suelos de primera calidad.

6. Empezar a plantar como lo haría en un jardín normal.

#2. Colocar macetas, CD y DVD brillantes

Lo crea o no, mantener las ardillas y los pájaros alejados de sus árboles frutales es tan fácil como reunir algunos CD y DVD viejos y luego colgarlos en el árbol. Estos discos colgantes reflejarán la luz y actuarán como prismas para que las aves piensen que ya hay un animal más grande.

A las ardillas no les gusta la luz reflejada, por lo que se mantienen alejadas de esos árboles.

#3. Remover la parte superior

Si bien es realmente tentador cultivar sus hierbas y vegetales hasta la madurez total, vale la pena si remueve los tallos superiores de vez en cuando. Esta simple acción fomenta un mayor crecimiento porque se indica que las hojas inactivas crecen hacia afuera.

#4. Utilizar Desechos de Cocina

Si aún no ha comenzado una pila de abono, aproveche esos restos de cocina. Coloque las sobras (menos los cítricos y las carnes grasas) en la licuadora, agregue un poco de agua y luego mezcle. Esta mezcla se descompondrá fácilmente para que luego pueda colocarla en la base de las plantas.

#5. Agregar una Gota de Aceite

Puede evitar que los mosquitos y otros insectos se reproduzcan agregando solo unas gotas de aceite vegetal al agua. Esto formará una capa delgada sobre la superficie del agua que disuadirá a los insectos, pero no dañará a las aves.

Utilice este método en sus barriles de agua y bebederos para pájaros.

#6. Árboles Frutales Enanos

A estas alturas, sabe que no necesita grandes extensiones de tierra para cultivar frutas y verduras. También existen árboles frutales enanos que puede plantar incluso dentro de su casa.

Cultivar estas variedades de árboles frutales incluso le permitirá cuidar frutas no nativas. Elija entre naranja enana, manzana, café, plátano y limón.

#7. Fertilizar con Aves de Corral

El estiércol de pato y pollo es un buen fertilizante. Mientras prepara las parcelas para su jardín, puede instalar un corral temporal para las gallinas. Se pueden mantener allí durante una semana (hasta dos) dependiendo del tamaño de la parcela. Los pollos fertilizarán naturalmente el suelo mientras que también alejan a las plagas.

También puede recolectar excrementos de conejo creando una tina llena de tierra. Coloque esto debajo de las conejeras. Lo que recolecte se convertirá en un suelo rico en nutrientes que puede usarse como iniciador de semillas.

#8. Crear Sistemas de Barriles de Lluvia

Los granjeros prefieren recolectar agua de lluvia porque el agua del grifo tiene potencialmente altos niveles de cloro. Incluso puede ahorrar una gran cantidad de dinero, ya que puede recolectar hasta 300 galones de agua de lluvia por cada pulgada de lluvia en un techo de 500 pies cuadrados.

Para hacer su sistema de barril de lluvia, prepare los siguientes materiales:

- Un contenedor de basura (o más) de plástico grande
- Un tubo sellador o cinta de teflón
- Dos arandelas de goma
- Una abrazadera de manguera
- Un grifo
- Taladro
- Tela de jardinería

Método:

1. Realice una perforación en el contenedor de basura. Aquí es donde se insertará la válvula. Asegúrese de utilizar una broca que sea más pequeña que el tamaño de la válvula. No coloque el orificio demasiado bajo en el contenedor para que aún haya suficiente espacio debajo para llenar el barril.

2. Inserte la válvula después de colocar una arandela de metal en su extremo roscado. Coloque una arandela de goma en las roscas para que la arandela se mantenga en su lugar. Compruebe si hay orificios que puedan tener fugas.

3. Selle la arandela de goma con un sellador impermeable. Asegúrese de que la válvula esté asegurada con una abrazadera de manguera para que no se suelte del barril de agua de lluvia.

4. Realizar un orificio que recolecte el agua de lluvia del bajante pluvial. Realice otro en la parte superior por donde el agua de lluvia pueda desbordarse.

5. Si no desea desperdiciar agua de desbordamiento, puede conectar una tubería de PVC o una manguera a otro barril. De esta forma, el exceso de agua correrá al siguiente barril.

6. Corte la tela de jardinería y colóquela sobre la parte superior del barril. Esto servirá como barrera contra los mosquitos y otros insectos que podrían entrar en su barril de agua de lluvia.

7. Coloque la tapa y ciérrela.

8. Coloque el barril de lluvia debajo del bajante pluvial y espere a que caiga la lluvia.

#9. Use Tubos de Papel Higiénico como Iniciadores de Semillas

Estos tubos son biodegradables y tienen el tamaño adecuado para que crezcan las semillas. Para usarlos, corte las solapas en un extremo del tubo y luego ciérrelo. Posteriormente se puede usar como hogar para sus semillas de arranque.

#10. Reutilizar Granos de Café

Los restos de café se pueden usar para enriquecer la tierra del jardín, mientras que también disuade a los pulgones de dañar las verduras de hoja verde.

#11. Hacer Trampas de Cerveza

La cerveza se puede utilizar como trampa para caracoles de jardín y babosas. Coloque un plato poco profundo lleno de cerveza y luego colóquelos en su jardín. El olor del líquido fermentado atraerá a las babosas al plato. Si bien pueden subir a la bebida, no podrán salir de la trampa.

#12. Plantar Densamente

Aparte de los pulgones y las babosas, otra cosa que no le gustaría que creciera en su jardín son las malas hierbas. Para evitar que aparezcan en primer lugar, puede plantar densamente en las capas del jardín. A la madre naturaleza no le agradan los huecos, por lo que rápidamente llenará cualquier espacio vacío. Plante densamente y no habrá espacio para que crezcan las malas hierbas.

#13. Encontrar Usos para la Ceniza de Madera

A medida que aleja las plagas del jardín, también puede usar cenizas de madera para fertilizar sus verduras y frutas en crecimiento. Está repleto de potasio, calcio, magnesio, fósforo, sodio, hierro y zinc. Para usar, espolvoréelo sobre las bases de las plantas o colóquelo junto con otros ingredientes de composta.

Elaborar un gallinero con una llanta vieja repleta de ceniza de madera también evitará que las gallinas se aburran y reducirá la infestación de ácaros al mínimo.

#14. Cultivar Raíces con Miel

La miel también se puede utilizar como cultivador de raíces. En lugar de comprar hormonas de enraizamiento, puede aplicar miel en los esquejes de las plantas. Sus propiedades antibacterianas ayudarán a propagar las raíces más rápidamente.

#15. Usar Maní Empaquetado en Macetas Grandes

En lugar de llenar macetas grandes con tierra pura para macetas, intente mezclarla con maní empaquetado. Utilizará menos tierra mientras mejora el drenaje del agua. También encontrará que la maceta se ha vuelto más liviana en el momento en que decida moverla.

#16. No Cavar en Suelo Húmedo

El suelo no solo es difícil de excavar cuando está húmedo. Cavar en húmedo también garantizará que se compacte (esto no es recomendable para la jardinería). Si la tierra se adhiere a las suelas de sus botas cuando sale a cavar, posponga la tarea para un día más seco.

#17. Mantener la Oxidación Alejada

Para proteger sus herramientas de jardinería del óxido, use un balde o una maceta grande de terracota. Llénelo de arena abrasiva con un poco de aceite mineral. Coloque sus herramientas en el balde una vez que haya terminado de trabajar en el jardín. La abrasión y el aceite los mantendrán afilados, limpios y lubricados.

#18. Remoje las Semillas antes de Plantar

Esta es una forma eficaz de germinar semillas rápidamente. Déjelos remojar durante la noche antes de plantarlos. Sin embargo, no sumerja durante más de 12 horas, ya que esto provocará una descomposición en lugar de una germinación más rápida.

#19. Pañales para la Retención de Agua

Si vives en una región con un clima cálido, este truco es especialmente útil para usted. Coloque un pañal limpio (con el lado absorbente hacia arriba) en el fondo de una maceta de jardín. Llene la maceta con tierra, coloque la planta y posteriormente riegue.

#20. Vinagre de Sidra de Manzana como SUPLEMENTO

Una de las mejores formas de estimular el sistema inmunológico de su ganado es agregar un poco de vinagre de sidra de manzana a su comida o agua durante el invierno. Pronto verá que los animales estarán menos enfermos o no sufrirán infecciones a medida que fortalece su sistema inmunológico de forma natural.

#21. Rotar los Cultivos

La rotación de cultivos es el proceso de cultivar ciertas hortalizas en parcelas específicas cada año. Un ejemplo es cuando planta brassicas justo después de plantar legumbres la temporada de siembra anterior. Dado que las legumbres ya habrán agregado nitrógeno al suelo, las brassicas se beneficiarán enormemente del nutriente.

La rotación de cultivos evita el agotamiento de los nutrientes del suelo.

Estos son solo 21 trucos de jardinería muy útiles que puede comenzar a practicar en su búsqueda para involucrarse más en el ciclo de la vida. Entonces, ¿está listo para aprender sobre ganadería?

Ganadería Autosuficiente: ¿Cuál Ganado y Cuánto?

A lo largo de los siglos, los ganaderos de todo el mundo han desarrollado diversas razas de ganado. Una raza (o incluso más) se extingue con cada mes que pasa, y el 20 por ciento de la población mundial de cerdos, vacas, cabras, caballos y razas de aves de corral ahora está en riesgo de extinción.

Si volviera a la historia, vería que los ganaderos solían operar en áreas más reducidas. Aunque este era el caso, todavía se ocupaban de una amplia variedad de especies animales y vegetales. Y las razas que se desarrollaron frecuentemente respondían a necesidades específicas.

El Texas Longhorn es un ejemplo de una raza de ganado que se desarrolló a partir de ganado español. Estos llegaron durante los primeros días de colonización de América del Norte. Los ganaderos entonces necesitaban un ganado resistente que pudiera sobrevivir a la presión de los depredadores, un forraje escaso y aun así poder producir terneros sanos.

Los cuernos únicos pronto surgieron y fueron útiles para defenderse de los depredadores.

No es necesario crear una raza única en su hogar en este momento. Lo que necesita aprender es buscar razas de animales que sean productivas y sostenibles. Los consejos sobre ganadería que aprenderá aquí son solo pautas generales. Si vive en una región árida, los cerdos de la isla Ossabaw son animales perfectos para criar en su granja. ¿Busca gallinas que puedan poner huevos incluso durante los inviernos más duros? Entonces críe pollos Chanticleer como ganado.

Animales que puede Criar en su Granja a Gran Escala

Conejos

La carne de conejo es exquisita y tiene poco colesterol. El animal se puede criar incluso en un pequeño patio trasero y, a diferencia de los pollos que necesitan un equipo especial para criarse, el conejo no solo es más barato de alimentar, sino que tampoco requiere un gran espacio. Sin embargo, debe estar confinado para que ningún depredador pueda acercarse.

Las jaulas para conejos deben construirse sobre el suelo para mantener a raya a los zorrillos y los perros.

Si desea cosechar más que la carne de conejo, también puede usar la piel. La piel de conejo se ha usado durante años. Los conejos de angora pueden arrojar suficiente pelo para hacer un abrigo.

Asegúrese de que las jaulas puedan proteger eficazmente a los conejos de la nieve, la lluvia y los depredadores, como perros y zorrillos. Para dar calor, puede agregar paja o algunos materiales de cama a las madrigueras.

Tome en cuenta que un negocio de conejos a tiempo completo debería tener 600 hembras y costar alrededor de 60 dólares. Cada hembra da a luz de 25 a 50 conejos cada año. Para alimentar a una familia de cinco que busca consumir conejo tres veces por semana, debe tener 12-13 freidoras (conejos bebés) por mes.

Cabras

Los granjeros modernos pueden dar fe del nivel de autosuficiencia que este ganado puede proporcionar. También puede tener reservas de queso y leche proporcionadas por sus cabras lecheras.

Tome en cuenta que las cabras necesitan parir para que puedan lactar. Posteriormente puede ordeñarlas durante todo el año (hasta por tres años). Puede planificar y escalonar el parto para que tenga leche durante todo el año.

Una cabra lechera de tamaño promedio puede proporcionar tres a cuatro cuartos de leche todos los días. Dependiendo del contenido de grasa de la leche de cabra, incluso puede obtener hasta una libra de queso por cada galón de leche.

También puede criar cabras por su piel. Llamadas cabras de fibra, pueden proporcionar lana que se puede hilar como mantas, sombreros, suéteres y otros artículos. Los hilanderos pagan por las fibras de cabra, por lo que mientras usted aprovecha las habilidades de este ganado para eliminar las malas hierbas, incluso gana dinero con las fibras que vende.

Construya cercas duraderas al criar cabras. Utilice alambre tejido, paneles para ganado o alambre soldado. La cerca no debe tener menos de cuatro pies de altura. Apriete los materiales para que las cabras no puedan destruirlos. Se puede tender una hebra de cable eléctrico a lo largo de la parte superior de la cerca.

Cada cabra necesita 200 pies cuadrados de terreno vallado. Este es el mínimo, para que pueda dejar espacio para que sus cabras deambulen y jueguen. También necesitan un suministro constante de agua dulce.

Las hembras, los machos cabríos y las cabras preñadas necesitan alrededor de tres tazas de alimento al día. Al ordeñar, permita que la cabra coma más que esto. Los carneros comen menos de una taza.

Las cabras prefieren la hierba, el heno y la alfalfa. El forraje debe formar parte de su dieta, incluidas las hojas, los dientes de león y las malas hierbas.

Asegúrese de que sus cabras también tengan abundantes vitaminas y minerales. Sus vitaminas no son las mismas que las de las ovejas, así que revise las etiquetas. También necesitan cuidados de rutina, como desparasitación, corte de cascos y vacunas (especialmente para el tétanos).

Una o dos cabras pueden proporcionar fácilmente un suministro anual de leche fresca para una familia de cinco. Para cultivar su ganado caprino, puede comenzar con dos hembras y un carnero. Duplique esta población si tiene una familia más extensa que mantener.

Ovejas

Las ovejas son excelentes para la cosecha de lana, el suministro de carne y la producción de leche. Si tiene cabras, técnicamente tiene suficiente formación para criar ovejas. Son similares en términos de sus requisitos de refugio y valla.

Los bloques de sal son una gran fuente de minerales para las ovejas. El agua dulce también es imprescindible, así que, si puede, instale una estación de agua para las ovejas.

Las ovejas no pueden consumir cobre, es venenoso para ellas.

El cuidado general incluye recortar sus pezuñas, afeitar la lana, desparasitar y revisión de otros parásitos.

Se sugiere que una familia numerosa comenzara con dos ovejas y un carnero. Esto eventualmente se puede incrementar a cuatro ovejas

Cerdos

Son una gran adición a cualquier hogar porque se comen las sobras de la cocina a menudo problemáticas, además de proporcionar una deliciosa carne de cerdo. Al igual que las cabras, constantemente rompen vallas en su necesidad de escapar.

Sin embargo, son más fáciles de criar en comparación con el ganado porque requieren menor mantenimiento. No necesitan vacunas, no es necesario ordeñarlos, no es necesario que los vigile y tampoco dedicarles demasiado tiempo.

Bríndeles abundante alimento y agua, y será suficiente. Asegúrese de que también estén cercados junto con sus grandes amigos.

Un par de cerdos sería suficiente para familias con seis u ocho miembros.

Vacas

Esto le sorprenderá: un ganado de mil libras tiene un promedio de 430 libras de filetes, carne molida, asados, estofado de carne, etc. Esto debería alimentar a unas 430 personas que consumirían una libra por porción.

Puedes criar vacas para carne y leche. Los terneros también se pueden vender a granjeros como usted. Con el tiempo, incluso su piel se puede convertir en algo útil. Para muchos ganaderos y agricultores, este es el ganado ideal. Debe prepararse porque estos son animales de gran tamaño, por lo que requieren un espacio e infraestructura más extensa que pueda contenerlos.

Obtener una vaca requiere un costo inicial. También debe prepararse para el mantenimiento que necesitará.

Ahora la pregunta que debe hacerse es: "¿Por qué criaré una vaca?".

Necesita conocer sus metas. Criar las vacas únicamente para la leche será costoso. Primero, comienzan a producir leche cuando tienen dos años o más o cuando tienen su primer ternero. Una vez que le da el calostro (primera leche) al ternero, la vaca puede ser ordeñada durante dos años.

La leche cruda rara vez se vende en tiendas minoristas; solo unos pocos estados permiten su venta. Si vive en uno de los 20 estados que consideran que la venta de leche no pasteurizada es ilegal (por ejemplo, Alabama, Virginia, Colorado, etc.), entonces no será factible ganar mucho dinero con ello.

Una sola vaca puede proporcionarle más leche de la que normalmente puede consumir. Pero si solo compra dos galones de leche a $ 3 cada uno, entonces no está ahorrando del todo.

Podría ganar más dinero si cría a la vaca y finalmente la vende.

Para los ganaderos que compran vacas para carne de cosecha propia, es necesario encontrar un procesador de carne o mataderos personalizados. Las vacas alimentadas con pasto están listas para ser sacrificadas en 28-30 meses, mientras que la raza alimentada con granos está lista en 15-16 meses.

Invierta en ganado o en una novilla que pese entre 600 y 700 libras. Crecerá durante el verano, y luego estará lista para ser almacenada en su congelador en otoño. Procesar la carne puede ser un desafío, ya que existen pocos procesadores calificados. Programe un espacio para la fecha de sacrificio mucho antes de que suceda.

Si planea vender carne de res, también debe investigar sus mercados potenciales. Es necesario etiquetar y procesar de forma segura la carne antes de poder venderla. Recuerde que la carne es generalmente más lucrativa que la leche.

Las diferentes razas de vacas prosperan en diferentes climas. El clima cálido de Florida o Texas hará que la vaca Brahman prospere. Red Angus sobrevivirá en Carolina del Norte.

Críe la raza Angus, Belted Galloway o Hereford (todas las razas pequeñas) si vive en un área donde el alimento es costoso. Siempre compre vacas de criadores de renombre y aliméntelas de proveedores confiables.

Una vaca necesita alrededor de un acre de tierra. Una vez que comiencen a tener terneros, necesitará dos acres para cada dúo vaca-ternero. Verifique la calidad del forraje en su terreno. Es posible que deba agregar suplementos a su dieta si la calidad del forraje es deficiente.

Alimente a las vacas con pasto y legumbres y luego equilibre su dieta con suplementos minerales. La veza también es recomendable en invierno. Si desea agregar granos, use maíz rico en proteínas.

Al igual que las cabras, también necesitan un suministro constante de agua dulce.

Aves de corral

Los requisitos de espacio de los patos dependen de la raza que vaya a criar. Las razas más grandes, como Sajonia o Jumbo Pekin, se desarrollarán en un espacio de cuatro o cinco pies cuadrados. Para que puedan correr, deberá configurar un mínimo de diez pies cuadrados por cada pato.

Los pekines son pesados, por lo que también son muy recomendables para los granjeros a quienes les preocupa que se vayan volando durante el invierno. Estos también son maravillosos recolectores, por lo que crecen hasta un tamaño que proporcionará suficiente carne para la familia.

También puede crear un pequeño estanque para que puedan chapotear. Si esto no es factible en este momento, permita que algunos patos compartan la piscina para niños.

Asegúrese de proteger a las aves de corral. Los patos son una presa común. Incluso su perro podría perseguir a los patos, así que prepárese para este escenario. Coloque una cerca alrededor del área donde se supone que vivirán los patos.

Los halcones tendrán dificultades para entrar en el área cercada, ya que necesitan descender en picado en lugar de descender como un helicóptero.

Las tarimas de madera se pueden configurar como casas para patos. Son perfectas para el flujo de aire y la humedad. Constrúyalos cerca del suelo para que los patos se sientan atraídos a usarlos.

Los patos crecen antes que las gallinas, son más resistentes y ponen huevos más grandes. Sin embargo, no ponen huevos durante todo el año, así que disfrute de los huevos frescos de pato mientras se los proporcionan.

Otro tipo de ave que puede criar en una granja es el ganso. Al igual que los patos, debe mantener satisfechos a los gansos si quiere obtener abundante carne. Son fáciles de cuidar, comen menos que los patos y las gallinas, y se alimentan principalmente de pasto y posteriormente de maíz y avena durante el invierno.

Simplemente puede dejar que la naturaleza siga su curso cuando compre un par de adultos maduros (dos años o más). Son animales monógamos, por lo que el ganso a menudo se emparejará con solo dos gansos hembras. Déjelos vivir juntos durante unos meses para que puedan comenzar a aparearse.

Cuando se aparea correctamente, una hembra puede poner 20 huevos en primavera. Ella solo podrá incubar de 12 a 15. Puede tomar seis u ocho de sus huevos y ayudar a la hembra a incubarlos usando una incubadora. A medida que nacen los polluelos, pueden pasar hasta 24 horas para que cada uno salga del caparazón. Nunca intente ayudar.

Los pichones y otros gansos deben ser trasladados al cercado tan pronto como puedan mezclarse. Coloque una cerca que no mida más de tres pies. Si tiene un perro que constantemente los caza, entonces levante la cerca más alto.

Los gansos pueden arrancar un huerto de fresas para que pueda albergarlos. Manténgalos fuera de allí una vez que las frutas de fresa comiencen a madurar. Manténgalos a salvo de zorros, búhos y mapaches.

El mito de que los gansos necesitan un gran estanque o lago para sobrevivir en una granja había sido destruido hace mucho tiempo. Ni siquiera necesita una gran masa de agua para mantener a los pájaros.

Simplemente coloque un abrevadero para que los pichones y las aves adultas salpiquen y también para que beban de vez en cuando. Los gansos se alimentan de insectos y pasto, por lo que no necesitan suplementos, excepto durante las primeras semanas de vida y en invierno.

Las variedades de gansos incluyen la raza de perro guardián chino. Son elegantes, pero bastante ruidosos. La variedad Embden podría pesar hasta 26 libras y producen huevos de gran tamaño.

La variedad Toulouse también puede pesar tanto como la Embden. En la edad reproductiva, pueden valer entre $ 100 y $ 150 cada uno, por lo que cuando se venden en pares, podrían darle una buena cantidad de dinero en efectivo.

Las codornices también pueden ser parte de su granja a gran escala. La raza común, la Bobwhite, madura en solo 16 semanas, lo que significa que puede comer carne de codorniz en solo cuatro meses. Ponen huevos a los 24 meses.

Las codornices no requieren mucho espacio. Un corral de dos pies por dos pies podría albergar hasta 25 codornices. Invierta en una incubadora si quiere sacar provecho de los huevos y la carne de codorniz.

Tenga en cuenta que existe un capítulo especial dedicado a la cría de pollos de traspatio.

Necesitará aproximadamente dos galones o más de agua, todos los días, para una docena de pavos. Un bebedero de 4' de largo puede sostener hasta 12 aves. Cien libras de alimento deberían ser suficientes para una docena de ellos. Sin embargo, para cuando las aves maduren, necesitará alimentarlas con una libra de alimento, cada una, diariamente.

Abejas

Convertirse en apicultor significa comprender la biología de estos insectos. Las abejas hembra infértiles son las trabajadoras mientras que la reina pone los huevos. Solo hay algunos abejorros en la colmena. Cada trabajador vive durante seis semanas, y luego simplemente muere. Cada trabajador habrá recolectado néctar que puede producir 1/12 de cucharadita de miel.

El Rev. L.L. Langstroth conceptualizó por primera vez la colmena moderna en 1851. Antes de esto, los agricultores simplemente colocaban a las abejas en troncos huecos, cajas o torres de paja. Las abejas finalmente morían o eran eliminadas violentamente del panal. Langstroth creó marcos móviles y espacios uniformes para las abejas. Los interiores tienen secciones que están separadas por 5/16". Un apicultor puede cosechar miel sin dañar su hogar o lastimar a las abejas.

Puede comprar colmenas establecidas de apicultores expertos. Esto podría costar entre $ 50 y $ 100. Nunca compre una colonia que no haya sido inspeccionada por el departamento de agricultura del estado o un apicultor.

También puede recibir abejas por correo. La caja de tres libras se puede entregar en su casa, y contendrá alrededor de 10,000 trabajadores y una reina ponedora preparada.

Inspeccione a las abejas solo en un día soleado. Use ropa blanca o de cualquier color claro. Nunca use lana. Coloque su blusa o camisa en sus pantalones y las perneras de los pantalones en sus calcetines.

No olvide usar gorro, guantes y un manto. No use perfume y asegúrese de no tener aromas con olores de granja / animales. Lave los trajes de apicultor con regularidad porque cualquier olor residual de picaduras pasadas podría activar una alarma de ataque.

Utilice un fumador. Trabaje con las manos desnudas solo cuando esté seguro de quitarse los guantes. Ahume los marcos, posteriormente realice una palanca y levante un marco. Sea cuidadoso y gentil con sus movimientos, ya que cualquier acción brusca y repentina alarmará a las abejas.

Ganadería a Pequeña Escala

De la lista anterior, los granjeros urbanos y de pequeña escala pueden considerar lo siguiente:

- Pollos
- Codornices
- Patos
- Conejos
- Cabras Pigmeas
- Ganado Dexter
- Abejas

Los pollos son tranquilos por naturaleza y son muy solicitados por sus huevos y carne. Las variedades de traspatio incluyen Cornish Cross, Freedom Ranger y Red Ranger.

Los patos son excelentes compañeros de jardín, si está haciendo un gran esfuerzo cuidando ganado y cultivando vegetales. Las razas pequeñas son Rouens, Indian Runners, Blue Swedish y Khaki Campbells.

Las codornices también tienen una pequeña variedad, la Coturnix. Pueden poner de cuatro a seis huevos a la semana y se venderán hasta en 50 centavos por huevo.

Champagne d'Argent, California, Nueva Zelanda y Crème d'Argent se pueden criar y mantener en un área pequeña. Cuando planifica en consecuencia, un pequeño patio trasero podría producir hasta unos pocos cientos de conejos.

Animales para Granjeros Urbanos

En un entorno urbano, la cabra pigmea puede prosperar porque tiene aproximadamente la mitad del tamaño de una cabra normal. Los enanos nigerianos pueden producir hasta dos litros de leche. Su carne también se puede obtener.

El ganado Dexter puede ser suyo si tiene al menos medio acre de tierra. Esta tierra debe tener pasto verde donde el animal pueda pastar. Tras 18-24 meses, su carne de 500 libras estará lista para el consumo. Mientras tanto, puede ordeñarlo hasta obtener tres galones de leche fresca.

Estos mismos animales también se pueden criar en jardines comunitarios. Estos son los espacios para las personas que prefieren tener una granja, incluso cuando viven en el medio de la ciudad. Existen mataderos móviles que se pueden poner en servicio cuando llega el momento de que los animales sean recolectados para la carne.

Por último, los apicultores urbanos pueden criar abejas en los tejados de sus apartamentos.

Solo recuerde permanecer en el lado derecho de la ley cuando se trata de una vivienda urbana. Si el gobierno local permite que se críe ganado dentro de los límites de la ciudad, entonces eso es excelente, solo conozca las regulaciones y requisitos para todas las oportunidades de homesteading.

Cómo Criar Pollos de Traspatio

Con la agricultura como su nueva pasión, probablemente esté buscando formas de involucrarse en mayor medida. Comprar pollos es una gran opción para comenzar su viaje. Estas aves son una de las bases sólidas de las granjas y esto se debe a que pueden cumplir varios objetivos.

Lo que los pollos ofrecían tradicionalmente a la cría intensiva se ha difuminado. La vida no negociable de autosuficiencia, simplicidad y eficiencia es ahora una vida de opciones y conveniencia. Los pollos pueden ayudarle a recuperar los aspectos más destacados de la agricultura.

Beneficios de Criar Pollos de Traspatio

Existen muchas otras cosas que las gallinas pueden ofrecer además de huevos y carne. Por supuesto, no se puede desacreditar la opción saludable que brindan los huevos de gallinas camperas. Los huevos comprados en la tienda no solo son insípidos; apenas proporcionan los nutrientes que su cuerpo necesita.

Los pollos reales que deambulan libremente actúan como los pollos y comen lo que se supone que deben comer los pollos. El bloque de alimentación es un complemento maravilloso, pero los pollos están destinados a alimentarse de proteínas y verduras.

Los huevos producidos por pollos orgánicos contienen más vitaminas A y E. También contienen ácidos grasos omega-3 y tienen menos grasa y colesterol.

Un ave al que se le permite andar libremente en su hábitat natural también equilibra todos los demás elementos de su granja. Los pollos pueden incluso ayudar a deshacerse de plagas y parásitos, además de que también son jardineros excepcionales, ya que les agrada alimentarse con larvas y los insectos que se alimentan de las plantas. Solo asegúrese de que no se alimenten de las verduras (advertencia, les gustan los tomates).

¿Y qué pasa con esos mosquitos que le preocupan, además de las garrapatas y los bichos? Los riesgos de la dirofilariasis, la malaria y el virus del dengue se reducen drásticamente gracias a sus amigos emplumados.

Los pollos también airean naturalmente la tierra picoteando. Esto hace un suelo más suelto, por lo que las plantas pueden crecer mejor. Pueden ayudar a fertilizar el suelo para que pueda obtener jardines más verdes. El estiércol de pollo puede ayudar a aumentar el contenido de potasio, nitrógeno y fósforo del suelo.

Para aprovechar mejor el estiércol de pollo, permita compostarlo durante aproximadamente cuatro a 12 meses antes de agregarlo a su jardín. Puede acelerar este proceso rotando periódicamente para que el flujo de aire aumente y el abono se descomponga más rápido.

Otro beneficio de criar pollos en su patio trasero es que puede criarlos para obtener su carne. Las aves de corral tienen un sabor muy diferente al de los pollos de granjas industriales, y también se ven diferentes, con sus pechugas más pequeñas (pero más exquisitas), el color de la piel del pollo y la carne más magra. El pollo comprado en la tienda se ve casi perfecto porque fue diseñado para verse de esa manera, ¿no le asusta eso?

También existe un sentimiento de orgullo que viene con poder satisfacer las necesidades de su familia. Tan pronto como comprenda los muchos beneficios de sentar las bases de su granja mediante la crianza de los pollos, tendrá una apreciación aún mayor por la granja.

La Carne de Ave

Antes de comprar los pollitos, primero piense en el propósito al que van a servir. Existen gallinas ponedoras y gallos de pelea, pero la cría de aves de rápido crecimiento es un campo diferente.

Con más pollos en su patio trasero, habrá más estiércol, por lo que es fundamental que se pregunte ahora si puede manejar este escenario. Además, ¿está de acuerdo con decirle adiós a las gallinas cada seis u ocho semanas? ¿Habría algún problema con que sus hijos los conviertan en mascotas y luego no puedan dejarlos cuando sea el momento de obtener la carne de pollo?

Para elegir una variedad de aves para carne, podría considerar las Cornish Rocks que son un cruce entre White Rock y Cornish. Estos pueden crecer rápidamente con alimento para que pueda obtener más carne a medida que aumentan de tamaño.

Es probable que compre sus aves de carne como pollitos de un día en la tienda de alimentos o en el criadero. Tenga en cuenta que los pollitos requieren mucho cuidado. Debe haber un área de criado para ellos, con una lámpara de calor que los mantenga calientes constantemente. La temperatura de la incubadora también debe controlarse de cerca.

Los pollos se pueden mantener en un gallinero (aprenderá a hacer uno) con un pequeño corral adjunto. Permita que corran libres y estará criando pollos más satisfechos, por lo que estarán en mejores condiciones de producir omega 3.

Después de que las aves hayan crecido a su tamaño completo (alrededor de cinco a siete libras dependiendo de si son asadores o pollos de engorde), es hora de obtener su carne. Puede sacrificar los pollos directamente en su granja o transportarlos al matadero y luego procesarlos.

Algunos mercados de granjeros compran aves, pero es necesario llevar las aves a un matadero o instalación de procesamiento aprobados por el USDA. Existen instalaciones móviles en algunos estados, por lo que también puede optar por ellas.

Las Gallinas y los Huevos

Si está buscando gallinas ponedoras para poder cosechar huevos y eventualmente su carne, entonces también necesita aprender cómo elegir la mejor raza y cómo alojarlas y proporcionar los suministros que necesitan.

Si considera criar pollos de corral, pero es necesario encerrarlos y dejarlos salir de vez en cuando debido a las limitaciones de espacio en su granja, también es aceptable.

Los entornos urbanos y suburbanos requieren el confinamiento de las aves, pero incluso estas aves necesitan algo de aire fresco y mucha luz solar, por lo que también debe planificar sus viviendas.

¿Sabía que hoy en día existen más de 200 variedades de pollo? Y debe considerar factores como el clima, el temperamento de la raza, los niveles de puesta de huevos y las capacidades de cultivo de carne antes de comenzar a comprar uno.

Si está buscando productores de huevos de raza pura, puede optar por Buff Orpingtons. Sus otras opciones incluyen:

- Leghorn
- Rojo de Rhode Island
- Australorp

- Plymouth Rock

- Sussex

- Wyandotte

- Ameraucana

- Marans

- New Hampshire

- Silkie (estos son lindos, pero tenga cuidado de no convertirlos en mascotas)

  - Brahma

  - Cochin

  - Welsummer

  - ISA Brown

  - Polaco

  - Gigante de Jersey

  - Hamburgo

  - Menorca

- Barnevelder y la lista puede continuar.

Puede mezclar razas si busca variedades de carne y huevo. También necesitará un gallo si desea incubar polluelos, pero si solo desea pollos para sus huevos, entonces no lo necesita.

Las gallinas pueden producir huevos incluso sin un gallo.

Alimentando a los Pollos

Tan pronto como haya comprado los pollos, es hora de investigar qué puede hacer mejor para alimentarlos. La mejor dieta para estas aves siempre será la que la Madre Naturaleza les proporcione: gusanos e insectos, pasto, trébol, malas hierbas, trigo sarraceno y semillas. Si tiene un gallo, también puede observarlo dándole algunos ratones a las gallinas.

Tome en cuenta que también necesitan comer algo de arena o tierra gruesa porque esto les ayuda a moler los alimentos que buscan.

Los pollos de traspatio pueden comerse las sobras de su cocina, excepto las papas crudas, los frijoles, el ajo, cualquier cítrico y las cebollas. Estas sobras pueden hacer que los huevos tengan un sabor diferente. Asegúrese de verificar las cosas que se supone que sus pollos no deben comer, como las virutas de pino que se supone que actúan como arena y espuma de poliestireno.

Las gallinas que se crían en pastos producen yemas de huevo de color naranja intenso y tienen claras de huevo viscosas y elásticas.

Si no puede pastorear a los pollos, al menos tenga un corral adjunto a su gallinero para que no se depriman.

También existen suplementos para el alimento principal, como conchas de ostra (proporciona calcio), repollo (más un alimento anti-aburrimiento para ellos) y alimento comercial.

En caso de que se quede sin alimento para las gallinas, no se preocupes, puede hervir y posteriormente picar algunos huevos y hacer que se los coman. Los pollos pueden incluso pasar uno o dos días sin alimentarse, pero asegúrese de que tengan suficiente agua para beber.

Si le apetece un desafío, también puede hacer una mezcla de alimento con las semillas y los granos que cultiva en su patio trasero.

Los tipos de alimento también dependen de la edad de los pollos que está alimentando. El iniciador alimenta a los pollitos durante sus primeras seis semanas. Esto debería ser aproximadamente 22-24 por ciento de proteína si está criando aves para carne (iniciador de pollos de engorde).

Existen variedades de iniciador de pollos medicadas y no medicadas.

La pollita de crecimiento se alimenta desde las siete semanas hasta las 14 semanas. Esto debe racionarse porque las gallinas ponedoras deben recibir una dieta con menos proteínas, mientras que los productores de carne deben recibir un 18 por ciento de proteínas.

Después de esto, el desarrollador de pollitas (finalizador) se alimenta a las 14 semanas hasta aproximadamente las 22 semanas. Las tiendas de alimentos para animales a menudo venden un productor-finalizador que contiene la cantidad justa de proteína.

Las gallinas ponedoras a las 22 semanas pronto requerirán del 16 al 18 por ciento de proteína más algo de calcio y minerales. Necesitan todo esto para obtener cáscaras de huevo más fuertes. Las necesidades de alimento de las ponedoras se alimentan estrictamente cuando el ave tiene 22 semanas de edad porque las aves más jóvenes tienen los riñones dañados.

Se ha observado que los gallos comen raciones de alimento.

En cuanto a las raciones para pollos de engorde, se trata de alimentos ricos en proteínas destinados a las aves para carne. El Cornish X Rock crece bastante rápido con un 18-20 por ciento de proteína en su dieta. El contenido de proteína del alimento para engorde puede reducirse si el pollo de engorde está llegando a su edad de matanza (alrededor de 12 semanas).

Las aves patrimoniales (pollos que pueden conservar sus características históricas) pueden mantenerse con una dieta más rica en proteínas hasta que sean sacrificadas.

La única forma de disminuir la cantidad de alimento comercial que le da a sus pollos es dejarlos pastar porque, entonces, comerán suficientes malezas, insectos, pastos y semillas.

Construyendo el Refugio de Pollos

Cuando los polluelos hayan madurado y estén listos para salir al aire libre, sabrá que necesita un mejor refugio para ellos, pero ¿cuál debería instalar? ¿Será un gallinero o un tractor? Y otra pregunta que algunos granjeros ya han hecho: ¿se puede convertir la caseta del perro o el viejo cobertizo en un gallinero?

El tipo de gallinero que construya depende en gran medida de cuánto tiempo van a permanecer las gallinas en esa estructura. Además, debe planificar si construirá una estructura fija y permanente o una que se pueda mover.

A continuación, determine la cantidad de espacio que está dispuesto a reservar para sus pollos. Nunca cometa el error de subestimar las medidas. Podría comenzar con algo pequeño, pero podría decidir expandir la bandada más tarde.

Construya una cooperativa de tamaño mediano mientras revisa el panorama.

Si el patio trasero puede proporcionar suficiente alimento para sus pollos, entonces puede construir dos o tres pies cuadrados de gallinero para cada ave. Un espacio más grande es, por supuesto, mejor porque habrá más espacio para que las gallinas deambulen.

Si planea que las aves estén encerradas constantemente, o al menos solo durante el invierno, entonces considere alrededor de cinco a diez pies cuadrados por cada pollo.

Los tractores de pollos se pueden mover, y el tamaño adecuado para ellos es de aproximadamente cinco pies cuadrados para cada pollo.

Todas estas son pautas generales para pollos de traspatio. Cuanto más grandes y numerosos sean los pollos, mayor será el espacio que necesitará. Las aves de carne generalmente necesitan más espacio que las gallinas ponedoras, al igual que las pollitas adultas necesitan un espacio más amplio que los pollitos.

La agresividad y los picotazos, si alguna vez se convierten en un problema, se pueden abordar fácilmente agregando más espacio. La mayoría de las veces, estas son solo la forma en que sus gallinas indican que están aburridas.

Los gallineros pueden ser tan simples como una caja de madera con alambre de gallinero. Ahorre dinero al no optar por los diseños más elaborados. Para la gente urbana y suburbana, lo que necesita es una cooperativa segura que cumpla con los códigos de construcción, los requisitos de la asociación de propietarios, las regulaciones de zonificación y otras asociaciones.

Las gallinas ponedoras suelen necesitar cajas nido. Una caja debería ser suficiente para albergar de cuatro a cinco gallinas. No coloque demasiadas cajas porque las gallinas se vuelven cluecas (se sientan constantemente en la caja nido) ya que hacen más esfuerzo para incubar los huevos.

Coloque las cajas de un pie cuadrado a dos pies del suelo. Cúbralos con virutas o paja, luego fíjelos a la pared o colóquelos en los estantes.

Las gallinas ponedoras también necesitan un espacio para descansar. La regla general aquí es proporcionar de seis a diez pulgadas de espacio para descansar para cada pollo. Nuevamente, las perchas deben estar a dos pies del suelo.

Verifique que el gallinero tenga suficiente sombra, ventilación y baños de polvo (tierra o tierra seca). Colóquelo en el lado este de la granja para que los pollos se calienten durante la mañana, pero no se quemen por la tarde.

Un Gallinero Portátil para Hacerlo Usted Mismo

Materiales:

- Madera
- Abrazaderas de Metal
- Destornillador y Tornillos
- Papel de Lija
- Escuadra de Carpintero
- Mitre de Potencia

- Sierra de Mesa
- Paño de Hardware de Metal

Método:

1. Tan pronto como haya elegido el diseño del gallinero, es momento de preparar la madera de 2' x 4' para el marco inferior. Utilice abrazaderas de metal para las esquinas y luego atornille las juntas.

2. Haga un cuadrado perfecto con la parte inferior de este marco. Utilice una escuadra de carpintero para verificar.

3. Este gallinero móvil mide 9' x 8' o 72 pies cuadrados, lo que es lo suficientemente grande para 24 pollos.

4. Corte la madera de 2 x 4 en pedazos delgados. Estos se utilizarán para las vigas diagonales.

5. Usando tornillos de cubierta, ensamble las piezas.

6. Tradicionalmente, el espacio entre las vigas es de aproximadamente 16", aunque de 12 a 14" puede ser suficiente para espacios más pequeños.

7. Construya el marco del extremo con tres vigas verticales, formando un marco de puerta en ambos extremos del gallinero.

8. También puede colocar dos tirantes largos que servirán como barras de descanso. Coloque una barra vertical para apoyar las barras de descanso. Añádalos solo cuando esté criando gallinas ponedoras; no los necesita cuando esté criando pollos de engorde.

9. También puede agregar cajas nido hechas de tablas de 2 x 2 aseguradas con tornillos para terraza.

10. Coloque esta caja en el medio del gallinero ya construido usando tornillos de cubierta.

11. Engrape un paño de metal en la parte inferior de todo el marco.

12. Agregue 4 "a 6" de madera contrachapada y fíjela con un tornillo para terraza.

13. Coloque el gallinero en la ubicación elegida.

Cuidando Pollos en Invierno

Esta es la regla número uno: los pollos no necesitan sus propios calentadores durante el invierno. Ahora que está establecido, a continuación, mostramos algunos consejos que pueden ayudarlo a criar pollos incluso durante el frío del invierno:

Método del Lecho Espeso

Este es un manejo sostenible del estiércol de pollo que practican muchos pequeños propietarios. Es una pila de abono (incluido el estiércol de sus gallinas) en el medio del piso del gallinero.

Al igual que con cualquier pila de abono, comience con una capa de virutas de pino y luego las gallinas se encargarán del estiércol. Agregue virutas para que el abono para pisos se desarrolle correctamente. No se preocupe por la aireación porque las gallinas también se encargarán de eso por usted.

Los microbios de la camada deben servir como probióticos (de algún tipo) para las gallinas.

Límpielo anualmente o cada dos años, y luego podrá usar el abono en su jardín. Para los habitantes urbanos y suburbanos, simplemente puede limpiar la basura de los pollos semanalmente o mensualmente y luego agregarla a su pequeño contenedor de abono.

Utilice Luz Suplementaria

Las grandes ponedoras como Buff Orpington todavía pondrán huevos durante el invierno, pero, en general, se necesita luz adicional. Una bombilla de 40 vatios que cuelgue a 7 'del suelo debe proporcionar la intensidad de luz adecuada para que sus pollos se mantengan saludables. Esto es suficiente para un pequeño gallinero, del tamaño de 100 pies cuadrados. Para gallineros más grandes (200 pies cuadrados o más), compre una bombilla de luz de 60 vatios.

Si está dispuesto a renunciar a los huevos de invierno, puede simplemente respetar el ciclo natural de los pollos y esperar a que vuelvan a estar activos. Después de todo, las gallinas descansan naturalmente durante el otoño, ya que experimentan la muda (pierden sus plumas) y su producción de huevos disminuye.

Alimentarlos con Maíz

Alimente a las gallinas con maíz triturado por la noche para que se mantengan calientes. El maíz es una de sus comidas favoritas, por lo que estarán más satisfechas si descansan con el estómago lleno.

Colocar una Cabeza de Repollo

No querrá que sus pollos se aburran y se depriman durante el invierno, por lo que debe darles algo para mantenerlos ocupados. Una simple cabeza de repollo colgada de una cuerda podría ser su juguete. Todo el picoteo debería mantenerlos ocupados durante todo el invierno.

Use Vaselina como Anticongelante

Durante los inviernos más fríos, puede mantener a las razas más grandes de enormes crestas y zarzos a salvo de la congelación aplicando vaselina en esas partes.

Con todo, permita que las gallinas hagan lo que quieran durante el invierno. Si quieren quedarse más tiempo en el gallinero, permítalo. Y como son un grupo resistente, no es necesario llevarlos adentro cuando llueve o nieva.

Protección de Depredadores

Los posibles depredadores de pollos son:

- Perros y gatos (incluso sus propias mascotas)
- Halcones
- Zorros

- Comadrejas, visones, armiños
- Coyotes
- Mapaches
- Linces
- Serpientes (les encantan los pollos)
- Búhos
- Gatos pescadores
- Ratas

Para mantener el gallinero seguro, puede cavar una zanja a su alrededor (alrededor de 12 pulgadas de profundidad). Coloque una tela metálica para que los depredadores que excavan no puedan entrar.

También puede elevar el gallinero para que no entren ratas, ratones y comadrejas. Revise la parte inferior del gallinero y asegúrese de tapar los agujeros. Encienda algún tipo de iluminación por la noche, o puede instalar luces con sensor de movimiento.

La pila de composta debe mantenerse a una buena distancia del gallinero y asegúrese de que los restos de alimento se limpien antes del anochecer. Utilice redes para evitar búhos y halcones.

La última capa de protección para su ganado es un arma. Disparar en dirección al depredador debería ser suficiente para disuadir su entrada. Las trampas también pueden ofender a la mayoría de los depredadores, pero asegúrese de usar estas dos últimas defensas solo si ya ha probado las más simples.

Su Despensa de Víveres

Ahora ha aprendido a cultivar y cosechar su comida. Y ahora las frutas y verduras, todas coloridas y exquisitas, se colocan en canastas esperando lo siguiente. Homesteading, de hecho, le ha brindado nuevas provisiones que podrían potencialmente sostener a su familia.

Tener seguridad alimentaria durante todo el año es el siguiente paso para su vida de granjero, y necesitará una alacena familiar para hacerlo. Muchas personas usan las alacenas para cantidades más pequeñas de alimentos, pero como granjero, podría abastecerse de alimentos para meses (su objetivo es crear una reserva anual para usted y su familia).

No se obligue a llenar estantes enormes y congeladores de inmediato; se necesita tiempo para pasar de su práctica actual de recolectar y luego pasar a una vida de almacenamiento de despensa.

Para facilitar las cosas, puede dividir los elementos esenciales de la despensa en dos grupos: alimentos con una vida útil más larga (por ejemplo, arroz, harinas y aceite de oliva) y los perecederos (por ejemplo, carnes, lácteos y productos frescos).

Lo Esencial

Harinas

Puede tener a mano la harina básica para todo uso, pero con el gluten poco saludable que podría obtener de ella, tal vez, es hora de considerar opciones más saludables, como granos integrales, masa madre y einkorn.

Solo necesita reponer la harina cada pocos meses. Asegúrese también de que se almacenen en contenedores que no estén directamente expuestos a la luz solar. Revise las harinas cada pocas semanas para asegurarse de que aún estén frescas y sin rastros de rancidez.

También puede mantener reservas de harinas de tapioca y harina de trigo integral.

Grasas y Aceites

Excluyente de mantequilla, debe almacenar lo esencial:

- Manteca
- Aceite de aguacate
- Aceite de oliva
- Aceite de coco

También puede incluir una botella o dos de aceite de oliva virgen extra para esas deliciosas ensaladas y salsas que pronto preparará. Este también será un delicioso platillo cuando se combine con albahaca (aderezo de pesto).

Edulcorantes

Es hora de reducir el consumo de azúcar refinada. Utilice edulcorantes naturales que no le proporcionen los mismos antojos dulces que el azúcar. El jarabe de arce o la miel pueden ser alternativas más saludables. El azúcar de caña orgánico también es una opción más saludable.

Artículos adicionales

- Azúcar morena casera

- Azúcar turbinado (crudo)

- Melaza

Legumbres, Frijoles Secos, Nueces y Semillas

Cada despensa familiar no está exenta de frijoles secos. Estos pueden proporcionar vitamina B, hierro, minerales, selenio, potasio, calcio y magnesio. También son ingredientes perfectos para sopas de invierno.

Mantenga reservas de semillas como guisantes, lentejas y cebada, ya que también son excelentes para recetas de sopa. Otros frijoles secos que puede cosechar de su jardín e incluir en su despensa son:

- Frijoles Negros

- Frijoles

- Frijoles de arándano

- Frijoles pintos

- Palomitas de maíz

- Frijoles Cannellini

Las nueces también se pueden almacenar hasta por seis meses. Por lo tanto, conserve recipientes de almendras saladas, nueces, nueces, maní y semillas de girasol.

Frutas y Verduras Enlatadas

Su lista de productos enlatados podría cambiar a medida que cambia la temporada. Esto depende en gran medida de los cultivos que haya cosechado durante la temporada. El enlatado, el encurtido y otros métodos pueden conservar las verduras de temporada, pero asegúrese de realizar el proceso mientras las verduras y las frutas aún estén frescas y no cuando estén a punto de echarse a perder.

Tan pronto como coseche estos alimentos básicos, acostúmbrese a conservarlos para poder racionar sus frutas y verduras durante todo el año:

- Tomates (alimento básico conserva)
- Chucrut
- Judías verdes
- Remolachas
- Puré de manzana
- Melocotones
- Pepino
- Aceitunas
- Maíz

Las especias y hierbas también se pueden conservar cuando agrega aceite de oliva y luego vierte la mezcla en bandejas de hielo.

Hierbas Secas

Puede disfrutar de hierbas frescas de su jardín, pero también sería aconsejable almacenar algunas como hierbas secas.

Conserve las siguientes hierbas:

- Tomillo
- Hojas de laurel
- Orégano
- Estragón
- Romero
- Hierbas de Provenza

Vinagre

Al igual que el aceite de oliva, el vinagre puede ayudar a cambiar el sabor de cualquier plato. El vinagre es bastante fácil de preparar. Puede usar jugo de fruta sobrante, vino o cualquier bebida alcohólica. A continuación, mostramos algunas recetas que puede usar para hacer su propio vinagre.

Para vinagre blanco –

Ingredientes:

Medio galón de agua

1 ¾ tazas de azúcar

Un paquete de levadura para vino o levadura para hornear

Globo

Dos tazas de vinagre sin filtrar

Método:

1. Empiece a preparar la base del vinagre combinando agua y azúcar. Caliéntelos en una olla grande, luego siga revolviendo hasta que el azúcar se haya disuelto. Permita que el agua azucarada alcance los 110° F.

2. Vierta la mezcla en una jarra de vidrio y luego agregue la levadura de vino.

3. Forme una esclusa de aire colocando el globo en la boca de la jarra. Si el globo se vuelve demasiado grande, asegúrese de levantar el cuello para liberar un poco de aire.

4. Tan pronto como desaparezcan las burbujas (alrededor de dos semanas), ya puede verter el líquido en un recipiente de acero inoxidable o vidrio.

5. Coloque el vinagre sin filtrar en el recipiente y luego cúbralo con capas de gasa. Selle el cuello con una banda de goma.

6. Coloque la jarra en una habitación oscura a temperatura ambiente.

7. La base del vinagre se formará después de unos días. Es una fina película sobre la superficie del vinagre.

Para preparar otras recetas de vinagre, simplemente puede reemplazar la mezcla de agua y azúcar con sidra, cervezas sobrantes, vino blanco, vino tinto o casi cualquier bebida alcohólica.

Sal

Puede cambiar a las sales marinas para sus recetas orgánicas o usarlas para preservar sus cosechas de alimentos.

Conserve estos tres tipos de sal:

● Sal marina del Himalaya

● Sal del mar Celta

● Flor de sal

La sal marina rosada del Himalaya es ideal para condimentar todos los días, la sal marina celta tiene un alto contenido de minerales y las hojuelas de flor de sal son excelentes aderezos para el pan.

Despejar, después Organizar

La regla es simple: deseche las cosas que no ha estado usando durante más de seis meses (excepto su ropa y accesorios de invierno) y luego guarde las que usa a diario o semanalmente.

A continuación, coloque los productos secos en recipientes transparentes. Debe poder ver dónde está el azúcar o la harina. Agrupe los granos, frijoles, harinas, azúcares y otros elementos esenciales de la despensa. Los alimentos a granel deben colocarse en la alacena, mientras que los frascos más pequeños se pueden colocar en la cocina donde estén fácilmente accesibles.

Esta despensa básica de granja se puede ampliar a medida que crece su propiedad. Simplemente tómese su tiempo, planifique y pronto ahorrará mucho dinero al reducir sus viajes de compras al supermercado. Si conserva religiosamente sus cosechas, entonces, eventualmente, podría incluso alimentarse de la tierra al cien por ciento.

PARTE TRES: SUPERVIVENCIA HOMESTEADING

Condiciones Climáticas Extremas

¿Sabe que algunos granjeros también son preparadores del fin del mundo? No se les puede culpar porque las condiciones en su casa, las condiciones climáticas extremas que pueden cambiar en un chasquido de un dedo, fácilmente pueden hacer que cualquiera se sienta temeroso. Pero este no tiene por qué ser el escenario para usted también.

El clima de la Tierra bendice (y a veces maldice) las granjas y muchas propiedades en todo el mundo. La mayoría de estas condiciones son manejables, pero puede estar preparado para el clima adverso.

Sequía

Una sequía es un evento en el que existe una escasez de agua prolongada. Con una familia que busca depender de la agricultura, esto es, de hecho, una mala noticia. Existen muchas formas en las que puede prepararse para la sequía, y estas se desglosan a continuación de acuerdo con su hogar, el jardín y su ganado.

Su Hogar

Ya puede utilizar los sistemas de barriles de agua de lluvia que configuró anteriormente. Suponiendo que ninguna ley le prohíbe instalar los colectores de agua de lluvia, puede llenarlos y almacenar agua.

Las aguas grises (agua jabonosa usada) también se pueden almacenar para la limpieza del inodoro. Solo asegúrese de no usar detergente áspero.

Su Jardín

También puede utilizar el agua de lluvia almacenada para regar sus plantas. Cubrir el jardín con mantillo también beneficiará a las plantas, pero dejará de fertilizar mientras el clima no mejore.

Arranque las malas hierbas para que las plantas no tengan competidores de nutrientes.

El Ganado

Asegúrese de que todos los animales tengan una fuente constante de agua potable. Vigílelos diariamente para que pueda tomar nota de los que se han debilitado. Si hay una vaca o cabra lactante que actualmente no puede proporcionar leche a su ternero o cabrito, entonces la cría debe recibir suplementos y alimento.

También se debe tener cuidado para evitar que los animales queden atrapados en presas secas.

Calor que Amenaza la Vida

Existe un fenómeno llamado El Niño, que es un calentamiento periódico a gran escala que ocurre en ciertas áreas del planeta. Puede hacer mucho calor, por lo que los efectos de este evento podrían afectarlo a usted, su ganado y las plantas. O hay momentos en los que la temporada de verano es extremadamente calurosa.

Nadie es inmune a sus efectos, por lo que es mejor protegerse a sí mismo y a todas las criaturas vivientes de su granja.

Su Hogar

Revise la despensa de su casa y verifique si tiene suficientes existencias para el consumo de su familia. Asegúrese también de tener suficiente agua potable para todos.

Sin embargo, las estaciones secas y calurosas no son del todo malas. Puede utilizar las condiciones climáticas para secar frutas y verduras, e incluso algunas hierbas que guardará en su despensa.

Su Jardín

Instale un paño de sombra sobre las camas del jardín donde se plantan cultivos sensibles al calor (por ejemplo, berenjenas, tomates, pimientos y pepinos). También puede plantar estos cultivos durante los meses fríos para que no tenga que preocuparse por perderlos durante los meses calurosos.

Revise los consejos sobre sequía acerca de cómo mantener la tierra húmeda.

Al principio de sus años de homesteading, también puede asegurarse de plantar árboles de hoja caduca que eventualmente puedan dar sombra a su jardín.

El Ganado

Consulte la sección Sequía para obtener consejos sobre el cuidado del ganado.

Nieve

Si hay demasiado calor, su propiedad también podría sufrir un frío extremo. Existen formas de proteger su hogar y su jardín durante el invierno.

Su Hogar

Instale aislantes de calor en su hogar para que usted, su familia y sus mascotas puedan resguardarse de manera segura en el interior.

Su Jardín

También puede instalar aislantes de calor en el invernadero o mantenerlo caliente si el frío desciende por debajo del punto de congelación. Asegúrese de quitar la nieve de las casas de aros, el invernadero y las cubiertas de las hileras.

Utilice cobertores de hileras para las camas del jardín, y mientras no se vea el sol, puede plantar col rizada, puerro, berza, col, colinabo, coles de Bruselas, nabos, chirivías, remolachas y zanahorias.

Una vez más, prepare un abono firme para que los cultivos de raíces no se congelen.

El invierno también es el mejor momento para organizar las semillas y planificar las adiciones de aves de corral. Incluso podría tomar este tiempo para explorar nuevas plantas y hierbas que eventualmente podría plantar.

El Ganado

Ya aprendió a cuidar pollos durante el invierno. En cuanto a los otros animales, su objetivo mientras haya nieve intensa debería ser mantenerlos ocupados y felices.

Mantenga a todos los animales bien alimentados, cómodos y asegúrese de ayudar a cualquier animal preñado. Si pastorea la mayor parte de su ganado, puede llevarlo al establo cerrado durante el invierno. Solo asegúrese de que haya suficiente ventilación, comida y agua.

Las áreas habitables también deben limpiarse regularmente con el estiércol extraído. Debe haber suficiente espacio para que los animales caminen y puedan seguir haciendo ejercicio.

Cumpla con los requisitos nutricionales de cada animal. Consulte los capítulos anteriores para conocer sus necesidades de alimentación y suplementos.

Viento

Su Hogar

Los vientos pueden presentarse en diferentes formas, como huracanes, tormentas de viento, vientos tornados, incluso ráfagas. Para cuidar a todos sus seres queridos e incluso a las estructuras de su casa durante las temporadas de viento, asegúrese de permanecer en el interior e ir al refugio más resistente. Si los administradores de emergencias les indican a todos que evacuen, entonces váyase, inmediatamente.

Su Jardín

Los vientos racheados más fuertes estresan las plantas durante las temporadas de tormentas.

Tenga cuidado de las ramas y tallos rotos cuando las tormentas causen estragos. Pueden ocurrir dos combinaciones de clima.

Primero, puede ser extremadamente caluroso y ventoso. Incluso las brisas más leves pueden afectar a las plántulas, por lo que debe proteger su jardín cuando se produzcan estos vientos.

En segundo lugar, podría hacer frío y viento. El viento podría intensificar los efectos del clima frío. Utilice un cortavientos de arpillera durante estos días ventosos invernales. Apoye esta configuración con apuestas. También puede crear una malla de alambre o un anillo para cada planta y luego llenarlo con hojas de roble o paja.

No olvide aplicar mantillo para reducir los efectos del calor o el frío.

El Ganado

Si no pueden ser evacuados, entonces los animales deben ser confinados en el refugio más resistente de su granja. Regrese a ellos en el momento en que la situación se aclare.

Tormentas Eléctricas

Su Hogar

Tenga en cuenta que nunca es recomendable ir al jardín cuando hay una tormenta eléctrica. Permanezca adentro en todo momento y espere a que se detenga la tormenta. Tan pronto como termine, esa es la única vez que debe revisar su jardín, los gallineros y el establo.

Su Jardín

Mantenga todos los dispositivos electrónicos sensibles lejos del jardín cuando haya un pronóstico de tormenta eléctrica. Los controladores de invernadero y los temporizadores de riego también deben llevarse al interior.

Los árboles también deben podarse para que no se dañen.

El Ganado

Instale sistemas de protección contra rayos en los recintos de animales. A continuación, asegúrese de colocar vallas alrededor de los árboles altos y solitarios. También debe alejar a todos los animales de las fuentes de agua.

Todos los refugios para animales también deben construirse lejos de cables eléctricos y árboles.

Viviendo con Mascotas

Decidir mudarse a una casa y modificar su estilo de vida es un gran paso. A estas alturas, sabe que ha beneficiado a su familia en términos de salud y perspectivas; además, las nuevas adversidades que experimentó incluso podrían haberlo fortalecido.

Pero ¿se ha preguntado alguna vez cómo sus mascotas también se han adaptado a esta decisión? Si ya tiene perros y gatos antes de la granja, entonces debe hacer que se adapten a su nuevo estilo de vida. No más de ello holgazaneando en el sofá en la ciudad, es hora de darles la bienvenida a todos a la vida rural.

Se trata de garantizar que sus mascotas sigan disfrutando del mejor entorno incluso cuando ya son animales rurales. Así como no hay entregas de pizza para su familia, también tendrá acceso limitado a comida para perros, comida para gatos, arena para gatos y otras necesidades de mascotas peludas, por lo que es necesario hacer ajustes.

Puede optar por mantener a las mascotas en el interior, pero piense en todas las ventajas de entrenar a su perro para que le ayude con las tareas domésticas. Como era de esperar, entrenar a su perro actual para que se convierta en una mascota de granja es como tener un nuevo perro de granja e introducirlo en la vida de la granja. Los gatos, sin embargo, son una historia diferente.

Perros Amigables con la Granja

Cada granja es única, pero existen aspectos en común, como espacios abiertos, jardinería, pollos, otros animales pequeños y depredadores.

Elija el perro que tendrá en su hogar. Las razas de perros guardianes de ganado son:

- Pastor de Asia Central
- Akbash
- Perro Pastor de Maremma
- Pastor de Anatolia
- Gampr armenio
- Tatra polaco
- Los Grandes Pirineos
- Kangal
- Mastín tibetano
- Russian Ovcharka y
- Sarplaninac

Puede tener aproximadamente ocho perros unidos que formen una manada. Su edad puede oscilar entre un año y medio y 13 años y medio. Estos perros pueden ayudar a mantener a los depredadores alejados de la granja para que no tenga que preocuparse demasiado por los zorros, los perros callejeros, las águilas, los halcones y los lobos. Algunas granjas incluso tienen leones de montaña como depredadores, así que asegúrese de tener una jauría de perros listos para defenderlo.

Los perros grandes y fuertes también pueden ayudar a tirar del trineo cuando recolecta leña y transporta barriles de agua potable. Pueden aliviar su carga de trabajo al tiempo que brindan protección personal.

Las razas Akbash y Great Pyrenees también son excelentes fuentes de pelo. Su pelaje se puede hilar porque es tan suave como el pelaje de alpaca bebé.

Dado que estos perros de granja están devolviendo la amabilidad de que los bañe, también debe asegurarse de que se mantengan saludables en todo momento. Póngase en contacto con un veterinario para las vacunas de su perro. Se debe administrar la vacuna de cinco vías que contrarresta la tos de las perreras, la hepatitis, la parainfluenza, el moquillo canino y el parvovirus. Puede incluir el virus anti-corona y la leptospirosis si opta por las vacunas de siete vías.

Los cachorros de seis meses ya deberían recibir la vacuna contra la rabia.

En cuanto a su dieta, es necesario comprobar el contenido de grasas y proteínas de sus alimentos. Los cachorros en crecimiento necesitan entre un 22 y un 25 por ciento de proteínas, mientras que los perros adultos solo necesitan entre un 10 y un 14 por ciento. Las perras gestantes y lactantes necesitan más proteínas (20-30 por ciento).

En cuanto a sus necesidades de grasa, los cachorros en crecimiento requieren solo del ocho al 20 por ciento, dependiendo de su masa corporal. Los perros adultos necesitan del cinco al 15 por ciento durante el embarazo, y los perros lactantes necesitan del diez al 25 por ciento.

Los carbohidratos son una gran fuente de energía para los perros, por lo que puede incluir arroz, avena, cebada y otros granos en su dieta. No los alimente con alimentos para humanos porque esto podría provocar problemas de salud e incluso la muerte prematura.

Si sus animales de granja pueden sobrevivir con restos de cocina, sus perros no deben hacerlo. Agregue también suplementos de vitaminas y minerales.

El Gato del Granero

Nuevamente, debe decidir si va a tener un gato doméstico o un gato de granero. A continuación, algunos consejos precaución cuando se trata de gatos en entornos rurales:

Nunca coloque gatos de la ciudad en un granero.

Nunca coloque gatitos en un establo.

Los gatitos no tienen las habilidades de supervivencia necesarias para evadir los cascos de los caballos y demás. Los gatitos salvajes, sin embargo, podrían sobrevivir.

Recuerde también que los gatos de establo son más susceptibles a los parásitos, la rabia, la leucemia felina, los depredadores y ser atropellados por camiones. Sin embargo, pueden ayudar a controlar la población de roedores, por lo que se reducirían las pérdidas de granos y los daños al equipo agrícola.

Un gato de establo ideal es el que llegó con la granja, lo que significa que es un gatito callejero que se adaptó a su familia cuando se mudó. Casi cualquier raza de gato podría vivir en una granja, pero ciertas razas podrían tener ventajas.

Las razas de pelo corto no le preocuparán por el pelo enmarañado, las bolas de pelo, etc. Las gatas son naturalmente mejores cazadoras en comparación con los machos, y se sabe que la variedad macho naranja es la más dulce.

Primero debe confinar a un gato si quiere que permanezca en su establo. Enjaule a un gato viejo durante aproximadamente dos o cuatro semanas, mientras que los gatos jóvenes pueden ser liberados después de un mes. Incluya una caja de arena en la jaula y aliméntela con frecuencia para que asocie la jaula con una zona segura.

Los gatos de granero aún deben ser alimentados incluso cuando atrapan ratones en su granja. Aliméntelos dos veces al día y proporcione abundante agua fresca. Durante el invierno, asegúrese de que sus tazones de agua también estén calientes. Programe la segunda comida por la noche y asegúrese de que sea comida enlatada para que los gatos se queden adentro. Mientras lo hace, los mantiene a salvo de depredadores como búhos, coyotes y mapaches.

Los gatos también necesitan mucha proteína, así que aliméntelos con pescado fresco y carne cocida.

Desparasite a los gatos dos veces al año y asegúrese de que tengan un lugar elevado para descansar. También puede construir su loft dentro de un refugio resistente para que tengan un lugar al que ir cuando el clima no sea demasiado agradable.

Al igual que los perros, los gatos de establo también deben recibir vacunas. Las vacunas combinadas para gatos adultos son las FVRCP que pueden contrarrestar el moquillo felino, leucemia felina, FeLV, calicivirus y rinotraqueítis.

Trate a sus gatos de establo y perros de granja como miembros de su familia, cubriendo sus necesidades y amándolos. Incluso le ayudarán con algunas tareas domésticas, por lo que debería apreciarlos más.

Homesteading A Solas

La mayoría de los granjeros emprenden el viaje de homesteading con un compañero o con toda su familia. Si comienza este viaje solo, entonces tiene más cosas que considerar. No es fácil vivir en una granja, incluso al estar en grupo, pero asumir este estilo de vida solo, equivale a mucha preparación. No prepararse podría conducir a una decepción segura.

La ventaja de hacerlo por sí solo incluye tener un sentido de logro. Imagínese poder cultivar y cosechar todo lo que necesita (por su cuenta), protegiéndose a sí mismo, a sus plantas y ganado, y usted es su propio jefe.

Aprenderá a ser astuto cuando esté viviendo solo. Simplemente tiene que encontrar formas de resolver los problemas y puede mejorar las cosas sin obtener la ayuda de nadie.

A veces, el escenario es que todavía vive con su familia, pero maneja la granja solo. Esto también está correcto.

Estos son algunos proyectos básicos que puede realizar por su cuenta:

- Construir un gallinero
- Construir otros corrales para animales

- Hacer jardines elevados

- Plantar verduras y frutas

- Construir una cerca alrededor de la granja

- Diseñar e implementar un sistema de pila de composta

- Mantenimiento de la casa

No es imposible hacer esto incluso cuando está solo, pero necesita aprender estrategias que puedan ayudar a disminuir la carga de trabajo, evitar lesiones y cuidar la cantidad justa de animales.

Decisiones que Cambian la Jugada

Reconsiderar la Cantidad de Ganado

Los granjeros a los que les agrada cuidar pollos suelen cometer el mismo error: comprar más. Y en poco tiempo, ven su granja repleta de pollitos que son más de lo que pueden controlar.

O puede que se haya dedicado al negocio de producción de huevos, donde vende huevos orgánicos, y antes de que se percate, su éxito está consumiendo la mayor parte de su tiempo. La entrega de 60 docenas de huevos cada mes es una tarea enorme para un granjero solitario.

Además, debe alimentar a los pollos, por lo que cuantos más tenga, más tiempo se necesita para alimentarlos adecuadamente.

Los pollos pueden buscar insectos, nueces y bayas, pero alimentarlos durante la temporada de invierno también puede ser un desafío.

Llegará a un punto en el que tendrá que decidir si solo cosechará frutas, verduras y carnes para el consumo de su familia. Si está literalmente solo, vea si puede cosechar para sus necesidades.

Usted también tiene que cuidarse, así que aprenda a reducir las tareas domésticas y las tareas del ganado. La reducción de personal podría brindarle la cordura que tanto necesita, así que tómese el tiempo para considerarlo.

Comprar el Equipo Adecuado

También es importante encontrar, comprar y mantener el equipo adecuado. No tiene que comprar más porque, para los granjeros solitarios, un conjunto de equipos podría cubrir todas las necesidades.

No permita que el cuidado del equipo consuma su tiempo. Compre equipo de calidad la primera vez para no tener que seguir reparándolo. Invierta en una carretilla, un carro de arrastre y herramientas básicas de jardinería, como una paleta de mano, tijeras de jardín, desmalezadora, tijeras de podar, pala de hoja curva para excavar y pala de excavación plana.

Reevalúe sus metas

Concéntrese en los objetivos que le interesan este año. Haga una lista de las cosas que le brindan placer y asegúrese de incluirlas como sus metas. Si tener cabras y aves mientras se ocupa de un jardín ya le preocupa, ¿por qué hacerlo?

Disminuya la presión sobre su carga de trabajo y seguramente disminuirá la tensión en su cuerpo.

Conozca las Desventajas

Homesteading tiene muchas ventajas, pero también algunas desventajas. Para empezar, existen limitaciones para ser un granjero en solitario. Es casi imposible levantar objetos pesados por su cuenta. Existe una gran cantidad de tareas de ocupación que necesitan más personas.

La granja por sí sola también aporta solo sus habilidades. Si su hogar sufre un problema debido a una tormenta eléctrica reciente y no tiene ningún conocimiento sobre electricidad, entonces pagará a un profesional para que lo haga. Este también es el caso de las reparaciones de maquinaria y equipo.

Si bien las alegrías de la ocupación incluyen estar orgulloso de sus logros en solitario, la desventaja de esto es que tampoco tiene a nadie con quien compartir sus problemas. Y la ocupación puede ser abrumadora, por lo que podría volverse solitario.

Sufrir lesiones o enfermarse también podría ser una desventaja evidente a la hora de vivir por su cuenta. Si bien puede llamar al 911 y esperar una respuesta, ¿qué pasa con las situaciones que requieren, por ejemplo, RCP?

Luchando contra la Soledad

Reconózcalo: homesteading para una persona sola puede volverse completamente deprimente. El aislamiento no hará posibles los viajes rápidos, por lo que estará solo en medio de la nada.

Homesteading a solas resultará en más tiempo solo. Es posible que sienta que las paredes se están derrumbando y que su decisión de vivir en una granja puede ser un error.

Muchos granjeros han admitido sus luchas con la melancolía rural, pero algunos luchan con las tareas del campo. Como aprendió anteriormente, puede ser introvertido o extrovertido, así que, a veces, todo es una cuestión de personalidad.

Los introvertidos pueden sobrevivir más tiempo en aislamiento, pero los extrovertidos necesitan desviar sus pensamientos hacia otras cosas. Si siente que la socialización debería ser parte de su existencia diaria, no se involucre inmediatamente en una vida de granjero en solitario.

Piense dos veces antes de cambiar su estilo de vida.

Ahora, si ya tomó la decisión y necesita hacer frente a días más lentos, a continuación, presentamos algunos consejos simples:

Empezar un Blog

Una persona aburrida + Mucho tiempo + Internet = Probable pasión

Puede iniciar un negocio en línea para mantenerse ocupado o escribir un blog. Profundice en usted y descubra lo que realmente le emociona. Si quieres escribir en un blog sobre su decisión de vivir solo, entonces siga adelante y escriba sobre eso. Con homesteading cada vez más popular cada año, todo lo que se necesita es consistencia en la escritura y usted podría convertirse en una sensación de Internet.

Piense que es un Período de Transición

La primera parte de homesteading es siempre la más difícil: todo agricultor puede dar fe de ello. Si considera los primeros meses como una fase de ajuste, entonces puede prepararse y planificar los próximos meses.

Hay mucho que hacer en su casa, así que haga esas cosas. A medida que se acostumbre a hacerlo, pronto tendrá una renovada pasión por la agricultura.

Socializar

Utilice Internet para buscar a sus viejos amigos de la escuela secundaria en Facebook. Envíe un correo electrónico a aquellos que no tienen Instagram o Facebook. No es necesario estar físicamente frente a una persona para socializar.

Hoy en día, un solo clic de un botón significa que puede ponerse en contacto con sus familiares o amigos.

Homesteading por sí solo no tiene por qué significar soledad. Depende de usted hacerlo más emocionante y fructífero (¡literal y figurativamente!).

Manualidades para Ahorrar Dinero y Proyectos para Hacer por Sí Mismo

Acaba de enterarse de cómo la agricultura familiar puede resultar bastante solitaria, al principio, y también cómo contrarrestar la melancolía en su propiedad. Otra forma de contrarrestar la soledad rural, y muy efectiva, es hacer algunas manualidades.

En lugar de gastar una cantidad considerable en muebles y electrodomésticos, ¿qué tal si elabora los propios? Si este es un proyecto demasiado grande por ahora, pruebe estas sencillas manualidades:

Presa de Agua

Si instala su vivienda en un área propensa a inundaciones, entonces debe asegurarse de que su familia esté protegida de la avalancha de lluvias. La construcción de una presa acuática debería resolver este problema.

Una presa acuática es una barrera repleta de agua que puede ayudar a desviar las aguas. Todo lo que necesita son algunos tubos interiores, llénelos con agua y luego construya una barrera temporal.

Herbicidas Orgánicos

Apoye y proteja el jardín de especies invasoras. La solución más sencilla es utilizar vinagre en toda su potencia. Vierta vinagre de sidra de manzana en un rociador y rocíe directamente sobre las áreas afectadas. Una advertencia: también podría matar plantas buenas, así que rocíe solo cuando esté seguro de que es la hierba la que está matando.

Este es un desyerbador seguro para mascotas y ganado, así que rocíelo. Si todavía está preocupado, puede reducir su acidez en un cinco por ciento. Solo agregue un poco de agua.

Otras Opciones

Mezcla de vinagre y jabón para lavar platos

Utilice una onza de jabón para lavar platos con cada galón de vinagre puro. Esto también se puede utilizar como insecticida de jardín. Si no desea dañar las plantas, utilice también jabón orgánico para lavar platos.

Vinagre + jabón + sal

Utilice un galón de vinagre por cada taza de sal y una cucharada de líquido para lavar platos. Mezcle los ingredientes y luego aplíquelos en las áreas afectadas.

Vinagre + jugo de limón

Muchos granjeros pueden dar fe de que mezclar jugo de limón con vinagre puede aumentar sus propiedades para eliminar las malas hierbas. Agregue una taza de limón a un galón de vinagre.

Vinagre + aceite esencial

Mezcle vinagre puro con una cucharada de aceite esencial de naranja o clavo. Se cree que el aceite se adhiere a las plantas del jardín, aumentando así la eficacia de la mezcla.

Incinerador de Patio Trasero

También conocido como barril de combustión, este es un tambor de metal de 55 galones con una cubierta abierta. Puede modificarlo para quemar la basura doméstica de manera limpia y segura.

Materiales:

- Tambor de acero
- Taladro o pistola para hacer los orificios de aire
- Dos bloques de hormigón
- Cercas pesadas o rejilla metálica (para cubrir la boca del barril)
- Lámina metálica (como tapa de barril)

Método:

1. Primero, elija una ubicación para su barril de combustión. Debe estar lejos de árboles y no donde pueda encontrar vientos dominantes. Colóquelo lejos de cualquier material combustible.

2. Perfore orificios de aire en el tambor de metal; aproximadamente 20 en diferentes lados y en diferentes alturas.

3. Perfore cuatro orificios más, de aproximadamente media pulgada cada uno. Estos deben perforarse en la parte inferior del tambor de metal para que pueda drenar el agua de lluvia.

4. Utilice una cubierta de fuego (parte superior de la parrilla) y dóblela para que encaje sin apretar.

5. El revestimiento de acero puede servir como cubierta de lluvia para el barril de combustión.

6. Tan pronto como se taladren los agujeros, coloque el cañón sobre dos bloques de hormigón. Los bordes del tambor del tambor deben colocarse sobre los bloques, pero también debe dejarse espacio para el aire. Esto permite que el aire fluya libremente y ayuda con el drenaje.

7. Cubra el cañón cuando no esté en uso para que el contenido no se moje.

Limpiador Multiusos de Cítricos

Muchas personas admiten que están cansadas de pagar mucho dinero por limpiadores químicos que requieren una máscara de gas para usarse de manera segura. La cuestión es que las versiones caseras son igual de buenas, si no mejores.

Si ha estado usando una mezcla 50-50 de vinagre y agua durante más tiempo y quiere mezclar ambos, puede probar este limpiador cítrico para cambiar.

Este limpiador de cítricos sigue siendo una mezcla orgánica que puede usar sin preocupaciones. Incluso es una forma excepcional de utilizar las cáscaras de los cítricos a las que las cabras y los pollos no prestan atención.

Ingrediente:

- Tarros de cristal de uno a dos cuartos de galón

- Botella de spray

- Colador

- Cáscaras de lima, naranja, limón o pomelo (dos o más de estas también funcionarían)

- Tres o cuatro gotas de aceites esenciales de pomelo, limón o naranja (opcional)

- Agua

Método:

1. Llene los frascos hasta la mitad con cáscaras de cítricos. Empaque los frascos si lo desea. También puede combinar cáscaras de pomelo, limón y naranja.

2. Llene el resto del frasco con vinagre blanco. Cubra y posteriormente mezcle bien.

3. Deje reposar la mezcla de vinagre y cáscara durante dos o tres semanas. Cuanto más tiempo lo deje, más potente se volverá.

4. Después del período de reposo requerido, retire las cáscaras y cuele con un colador fino. Esto debería eliminar los trozos de cítricos que quedan flotando en la mezcla.

5. Diluya con agua (una parte de la mezcla con una parte de agua) y luego viértala en una botella rociadora.

6. Agregue tres o cuatro gotas de aceites esenciales cítricos para potenciar aún más el aroma.

Puede usar este limpiador natural en los pisos, la bañera, el fregadero de la cocina, las encimeras y los inodoros. Disfrute limpiando porque ya no tiene que sufrir por los olores químicos.

Papel

Hacer papel básico es fácil y rápido, pero pueden pasar varios días antes de que se seque por completo.

Método:

1. Use un procesador de alimentos o una licuadora para triturar los ingredientes. Puede usar periódico (este es el más económico) para empezar. Agregue suficiente agua para que el papel se humedezca, pero no se moje. Agregue también una gota de pegamento blanco.

2. Extienda la gota en la pantalla fina. Aplane y alise el papel.

3. Colóquelo en un lugar seco y espere a que se seque el papel. Sin embargo, nunca lo coloque bajo la luz solar directa. Si el moho comienza a crecer, debe tirarlo y volver a comenzar.

El papel hecho en casa se puede utilizar como etiquetas de regalo, material de origami y hojas de diario.

Velas

¿Le agrada el dulce aroma de las velas de cera de abejas? Las velas hechas en casa son mucho más seguras para usted porque no liberan materia tóxica al aire. Existen tres formas de hacer velas caseras:

Inmersión de Velas

Mantenga la cera caliente en un recipiente y el agua fría en un segundo recipiente. Debe turnar para sumergir en la cera caliente, luego en el agua fría y nuevamente en la cera caliente.

Puede hacer dos velas a la vez cuando usa ambos extremos de una cuerda. Cuelgue las velas para que se sequen durante un par de días.

Moldeado de Velas

También puede ser creativo y crear las formas que desee. Puede comenzar con el cartón de leche vacío básico. Coloque cubitos de hielo alrededor de las mechas y luego vierta la cera caliente.

Deje que el molde se enfríe antes de retirar la caja. Verá que la vela tendrá hermosos orificios decorativos.

Vela Enrollada

Otra forma divertida de hacer velas es enrollar una hoja de cera alrededor de la mecha central. Obtenga cera de abejas para crear un molde de panal.

Coloque la mecha a lo largo del borde y luego enróllela. Caliente la hoja de cera de abejas primero en sus manos para que no se agriete.

Aquí hay un pequeño consejo de seguridad: nunca deje velas encendidas desatendidas. Asegúrese de crear y discutir un plan de seguridad contra incendios en su hogar. Instale extintores de incendios, detectores de humo y otros disuasores de incendios.

Detergente

Los jabones y detergentes para ropa caseros están atrayendo mucha atención últimamente debido a sus posibles aspectos de ahorro de dinero. La solución que aprenderá puede limpiar incluso las manchas más difíciles (por ejemplo, pañales de tela manchados). En comparación con los detergentes comerciales, es incluso mejor porque no contiene fosfatos ni lauril sulfato de sodio.

Ingredientes/herramientas:

- Una barra de jabón (alrededor de $ 3.25)
- Media caja de bórax ($ 3.97 por caja de 72 oz)
- Una taza de bicarbonato de sodio, ¡no para hornear! ($ 8.49 por caja de 55 oz.)
- Varias tazas de agua
- Aceites esenciales (precio diferente para cada aroma)
- Balde de cinco galones
- Agua
- Rallador de queso
- Cacerola mediana

Método:

1. Con un rallador de queso, ralle el jabón en trozos grandes.

2. Coloque las tiras en una cacerola mediana llena con unas tazas de agua.

3. Caliente y luego revuelva hasta que todos los trozos de jabón se disuelvan.

4. Agregue bórax y el bicarbonato de sodio. Mezcle y disuelva los ingredientes recién agregados.

5. Vierta la mezcla en el balde de cinco galones. Llénelo tres cuartas partes con agua caliente. Mezcle bien, luego déjelo reposar, sin molestar, durante toda la noche.

El detergente casero se verá como un trozo de gel y su rendimiento será de aproximadamente tres o cuatro galones, dependiendo de la cantidad de agua que agregue. Puede dejar el bloque de detergente en el balde o utilizar jarras o baldes más pequeños para almacenar las porciones más pequeñas.

Puede dispensar con un dispensador de bebidas o simplemente sacarlo del cubo cuando finalmente lo necesite

---

Cortinas

Aprender a hacer sus propias cortinas puede darle la libertad de crear las formas y diseños que desee. ¿No es bastante frustrante cuando encuentra el color, los patrones y la textura correctos en una cortina y le dicen que no corresponde al tamaño de su ventana?

Las cortinas hechas en casa también son mejores para las personas con alergias porque ahora puede elegir los materiales a usar. Busque materiales para cortinas que se puedan lavar fácilmente cada dos meses. Esto es fundamental para las personas que padecen alergia a los ácaros del polvo.

Necesitará habilidades básicas de costura para hacer este proyecto. Si es bueno con ello, continúe leyendo:

Método:

1. Mida las ventanas que desea cubrir. Recuerde medir más allá de los marcos de las ventanas.

2. Realice dimensiones para cada capa. Agregue márgenes de costura de aproximadamente 5/8 (estándar).

3. Decida cómo se unirá cada una de las cortinas a la barra. La distancia de suspensión se acortará con la profundidad que envolverá la varilla, así que asegúrese de incluirla en sus cálculos.

4. Mida la cantidad de tela que necesita para este proyecto.

5. Dibuje los patrones en una hoja de papel de seda. Siempre que su diseño sea simétrico, puede doblar la tela mientras corta a lo largo de su borde.

6. Continúe con el patrón de costura. Sujete el papel, córtelo y luego cósalo.

Cestas

Las cestas tienen muchos usos en una granja. Imagínese llevando una canasta y llenándola con frutas y verduras recién cosechadas. Existen varias técnicas de tejido de cestas que puede emplear.

Puede hacer cestas de glicinas o ser más creativo con la cesta de corteza. Los álamos pasan por una fase de crecimiento desde abril hasta junio. En esta fase, la corteza se puede cortar y desprender fácilmente.

Puede usar estas cortezas como lados de su canasta. No espere que la canasta forme un fondo plano porque no lo hará, pero puede crear una correa para ella.

Usando un patrón entrecruzado, use nogal empapado en agua como encaje. Realice perforaciones en los lados de la corteza y luego átelos.

El tamaño de la canasta dependerá del tamaño de la corteza que corte.

Pintura

La pintura al temple al huevo ha existido durante muchos siglos. Las pinturas medievales usaban este tipo de pintura. La pintura al óleo también se puede formular usando aceite de linaza y pintura de leche con caseína (proteína de leche deshidratada).

Pigmento (use materiales naturales como hierbas, óxido y barro)

Aglutinante (mantiene el pigmento sobre la superficie pintada)

Disolvente (utilizado para diluir la pintura)

Método:

Si desea hacer pintura al temple al huevo, puede usar pinturas para tubos de acuarela, yema de huevo como aglutinante, un poco de agua y solvente (opcional).

Para la pintura de caseína, use leche descremada agria con jugo de limón. Deje reposar toda la noche, escurra la cuajada y añada los pigmentos. No se preocupe por el olor porque se desvanecerá rápidamente a medida que la pintura se seque.

Pintar no tiene por qué dejar vapores tóxicos, y ahora puede mantenerse ocupado al realizar pequeños proyectos de pintura.

¡Ahora puede decirle adiós al aburrimiento!

14 Ideas Homesteading de Ingresos

Las manualidades que acaba de aprender son potenciales ingresos de efectivo. Entonces, sí, puede vender el detergente, el limpiador cítrico para todo uso, las cortinas e incluso las velas que elaboró. Existen muchos vendedores en línea de estas artesanías y limpiadores orgánicos, por lo que es posible que desee seguir sus pasos creando un sitio web para sus productos únicos. Sin embargo, como se despidió a una vida de conveniencia para vivir una vida más saludable (y potencialmente más feliz), puede profundizar en sus metas.

Ser un granjero significa que desea una vida fuera de la vida fácil que estaba o está viviendo actualmente. Así que regrese a ese objetivo y decida qué puede obtener de ello.

Vender Productos de Cosecha Propia

Antes de iniciar, primero verifique las leyes de seguridad alimentaria en su área. Una vez que tenga todo bajo control, especialmente cuando vaya a vender leche o carne, puede seguir adelante y vender sus productos orgánicos.

1. Si no quiere lidiar con la burocracia, entonces la solución es vender los animales en lugar de sus productos alimenticios. Esto significa que puede vender el pollo vivo y no solo su carne.

2. También puede vender huevos de gallina o huevos de gansos o patos. Una docena de huevos de gallina podrían venderse por $ 4 o más, así que imagínese si puede vender 70 docenas cada mes (y esto sigue siendo un negocio de huevos a pequeña escala), obtiene $ 280.

Todo el mundo parece querer huevos orgánicos hoy en día. La gente lo prefiere por sus ácidos grasos omega-3 que son buenos para los ojos, el corazón y la piel.

3. También puede vender galones de leche fresca. La leche extra que su familia ya no puede consumir puede venderse en los mercados de agricultores. También puede comenzar un programa de reparto de cabras o vacas si no quiere preocuparse por esas leyes.

Un acuerdo de reparto de vacas o rebaño es muy parecido a poseer acciones en una empresa. Un consumidor pagará a un granjero por cuidar de su cabra o vaca y, finalmente, por ordeñar al animal. El propietario del rebaño obtendrá la leche de su propio animal.

4. Vender productos lácteos caseros, como queso y mantequilla, también puede ser una fuente de ingresos para usted y su familia.

5. También puede vender carnes para asar y otras carnes de aves. Para mayores ventas, puede vender carne de cerdo y de res.

6. ¿Qué tal vender patos, gansos o pavos tradicionales? La conservación del ganado también ha causado bastante conmoción últimamente. Actualmente se conservan y venden razas raras de aves de corral y ganado como animales patrimoniales.

Considere el plan a largo plazo para la cría de conservación. ¿Qué especies criaría? ¿Serán animales grandes o pequeños? ¿Se ocupará de pieles o plumas?

Del mismo modo que cuidaría del ganado normal, debe aprender sobre la cría de animales, la alimentación y otras necesidades de los animales. Más importante aún, puede agregar información sobre las características de las especies que venderá como un animal patrimonial.

7. ¿Qué hay de los huevos fértiles? Si tiene un gallo en la parvada, puede vender huevos fertilizados en línea. Revise si puede enviar los óvulos fértiles, pero antes de hacerlo, verifique las tasas de fertilización. Proporcione una estimación aproximada de las crías porque incluso las nidadas más sanas rara vez nacen.

8. ¿Ha oído hablar de los servicios de sementales? Si tiene un amplio espacio para mantener a los animales machos, puede alquilar su servicio. Esto podría generarle un buen ingreso, especialmente cuando tiene razas de animales inusuales en su granja.

Vigile la fertilidad de los gallos, el macho y el ganado macho. Incluso sus perros de granja se pueden alquilar para sus servicios de semental. Si obtiene más clientes de este negocio, es posible que desee establecer una ganadería.

Necesita diseñar un programa que mitigue enfermedades y patógenos. Tómese el tiempo para programar una reunión con los administradores de sementales. Usted es el jefe del jefe, por lo que puede decidir qué es lo mejor para ellos; sin embargo, asegúrese de poner en cuarentena a las mujeres en algún momento y separar los corrales de cada animal macho.

Registre los toros y obtendrá aún más dinero. También puede considerar la recolección de semen realizada por recolectores de semen certificados o registrados.

9. Los animales de fibra también pueden brindar oportunidades de ingresos si las actividades adicionales, como esquilar la lana, son adecuadas para usted. La lana que se recolecta debe limpiarse antes

de poder comercializarlo. También existe un mercado de lana sin limpiar.

Las fibras limpias se venden por kilo y también se pueden convertir en mechas. Si tiene habilidades de hilado, puede hilar un hilo de diferentes grosores y pesos.

10. La venta de miel también puede aportar una contribución considerable a los ingresos de su hogar. Es hora de poner en práctica sus habilidades para recolectar miel. Coseche la miel cruda, fíltrela y posteriormente embotelle.

Las abejas pueden encargarse del proceso de elaboración de la miel por usted mientras busca personas que tengan un requisito constante para su producto.

Los clientes probables de miel son panaderos, chefs y aquellos que elaboran jabones, champús y jabones orgánicos para el cuerpo.

11. Además de las ventas de ganado, también puede vender productos vegetales como semillas reliquia (tiene el mismo concepto que el ganado reliquia) y trasplantes.

Los trasplantes son plantas adicionales que se pueden vender con fines ornamentales o de conservación. Vender comestibles como bayas, hongos y frutas también es una excelente manera de ganar dinero extra con su hogar.

12. Otro impulsor de las ganancias es el cultivo de árboles. Algunos granjeros no quieren comprar las semillas, plantarlas y luego hacer crecer el proceso del árbol.

Como cultivador de árboles, necesitaría semillas de frutas para poner en marcha su negocio. Los árboles frutales más rentables que buscan los granjeros son:

- Aguacate: se vende a $ 10 / planta de 7"; se vende a $ 30 por cada planta de 8"

- Mandarina - $ 5 por planta de 7 "; se puede vender a $ 25 por la planta de 8"

- Limón - $ 5; $ 15

- Caquis - $ 10; $ 35

- Naranja - $ 5; $ 25

- Granada: se vende a $ 10 por cada planta de 7"; a $ 35 por cada planta de 8"

Aquí presentamos un programa sencillo para plantar árboles

- Un mes: plante las semillas de frutas dentro de latas de refrescos

- Dos meses: vuelva a plantar las plántulas de uno o dos cm en vasos de plástico

- Tres meses: replante las plantas pequeñas en botellas de plástico individuales de dos litros

Dado que usted mismo cultiva las frutas, puede continuar y etiquetar las semillas como orgánicas. Si puede esperar hasta que la planta alcance los dos pies, puede ganar el doble. Injerte una rama del mismo tipo de árbol. Esto debería hacer que el árbol produzca frutos.

Puede cultivar semillas en cualquier alféizar de la ventana de su hogar. Es preferible cultivarlos en interiores porque pueden estar expuestos a lluvias torrenciales y nieve. Incluso podrían ser derribados por ráfagas de viento, así que asegúrese de que crezcan en la seguridad de su hogar por ahora.

13. Hacer y vender muebles

Uno de los negocios que puede vincular con su vida de granjero es fabricar muebles hechos a mano y vender su arte de madera. Si realmente quiere agregar esto a su rutina, estas son las cosas que debe hacer:

1) Encuentre un nicho que se adapte a sus habilidades de carpintería. Existen muebles para el hogar, muebles de oficina, piezas hechas a medida y gabinetes empotrados. Puede vender sus muebles en línea o tener una pequeña

tienda física dentro de su propiedad. Incluso puede apuntar a un nicho más pequeño, como instalar tapicería.

2) La ubicación lo es todo, por lo que sus clientes que compran muebles seguramente se sorprenderán al encontrar su tienda en una granja rural.

3) Obtener los permisos y licencias correspondientes.

4) Escriba su plan de negocios.

5) No olvide buscar inspiración para los diseños de sus muebles.

6) Por último, cree un sitio web de muebles hechos a mano.

Puede hacer muebles de diferentes materiales. Puede aprender a trabajar la madera o usar metales o vidrio para crear toques hogareños.

14. Negocios de consultoría

Una vez que se vuelva experto en su vida de granjero, puede incluso comenzar un negocio de consultoría. Como consultor, usted puede asesorar sobre cómo empezar a cultivar, qué ganado funcionaría mejor en qué tamaño y tipo de tierra, y qué frutas y verduras cultivar. Las personas también pueden solicitar su experiencia cuando quieran vender productos de su propiedad y quieran expandirse.

Hoy, está comenzando a aprender acerca de estos principios y habilidades básicos de homesteading, pero algún día podrá convertirse en mucho más.

Conclusión

Homesteading es una vida gratificante, no hay duda de eso, pero para poder disfrutar de los beneficios, existen ciertos términos que definir, cualidades sobre usted que debe descubrir y habilidades que debe aprender.

Homesteading también es el control sobre su salud, alimentos, hogar y su vida en general. Y al igual que lo haría con cualquier proyecto, también necesita compromiso, planificación, una autoevaluación seria y preparación para los desafíos futuros.

Muchas pruebas pueden venir con ello, pero la que necesita superar más que nada es la soledad rural. Además de esto, también debe mantenerse alejado de los errores más comunes de los granjeros al estar preparado con información, diseñar un plan, establecer el presupuesto correcto, una inspección adecuada de la tierra, solo por nombrar algunos.

Ser un granjero también significa adquirir habilidades específicas, como compostaje, jardinería, recuperación, conservación y almacenamiento de alimentos, molienda, cría de animales, cocina e incluso la habilidad básica de encender un fuego. Y como líder de su grupo, también debe proteger al ganado de los depredadores y otras posibles fuentes de daño.

Luego están los costos de la tierra y otros equipos, maquinaria y materiales de vivienda que deben calcularse incluso antes de hacer la oferta inicial, por lo que debe estar al día con las leyes y regulaciones locales de vivienda. Hacerlo será la única forma de llevar a cabo su negocio sin preocupaciones.

Una vez que se resuelvan estas cosas, puede concentrarse en criar su ganado y cultivar los productos de su jardín (que puede cultivar mejor con algunos trucos útiles). Y mientras lo hace, puede aprender algunas manualidades que puede hacer usted mismo que pueden eliminar su aburrimiento e incluso aumentar sus ingresos.

El excepcional objetivo final de la agricultura es vivir de la tierra al cien por ciento. Para lograrlo, se deben establecer sistemas, y luego podrá reconocer todas las oportunidades de generación de ingresos en su propiedad.

¡Felicidades! Ahora es un granjero bien informado.

Vea más libros escritos por Dion Rosser

Referenciass

(n.d.). Retrieved from
https://www.youtube.com/watch?v=YJewpW3lpzc

(n.d.). Retrieved from
https://youtube.com/watch?v=jO19XxEXmmQ&list=PLg8oaaTdo
HzMxpqfzRHzxC-qf9Ej60dBK&index=1

(n.d.). Retrieved from
https://www.youtube.com/watch?v=YvOW56x29B0

12 things to know about raising cows | Hello Homestead. (n.d.).
Retrieved from https://hellohomestead.com/12-things-to-know-
about-raising-cows/

Annie. (2018, June 13). Tips For Having A Large Homestead.
Retrieved from https://15acrehomestead.com/large-homestead/

Annie, Cook, J., Stone, K., & Abernathy, W. T. (2019, March 31).
The Ultimate Guide To Garden Soil. Retrieved from
https://15acrehomestead.com/ultimate-guide-garden-soil/

Arcuri, L. (2019, May 24). What Is Homesteading? Retrieved from
https://www.treehugger.com/definition-of-homesteading-3016761

Arcuri, L. (2019, December 12). How to Survive as a Beginning Homesteader. Retrieved from https://www.treehugger.com/top-tips-for-the-beginning-homesteader-3016686

Basket Making. (n.d.). Retrieved from https://www.sage-urban-homesteading.com/basket-making.html

Caitlin, Emma, Evelyn, Gibbs, L., Stephanie, Patti, ... Maria. (2020, January 9). Great Benefits of Homesteading. Retrieved from https://theelliotthomestead.com/2014/01/great-benefits-of-homesteading/

Cory, D. (2019, July 26). A Beginner's Guide to Small-Scale Homesteading. Retrieved from https://dengarden.com/gardening/Small-Town-Homesteading

Davidson, M., Davidson, M., & Alexa Weeks. (2019, December 12). 10 Most Important Homesteading Skills. Retrieved from https://homesteadsurvivalsite.com/important-homesteading-skills/

Dodrill, T. (2019, December 10). How to Find the Perfect Piece of Land for Your Homestead. Retrieved from https://homesteadsurvivalsite.com/how-to-find-land-homestead/

Garman, J., Tony, Brenda, Lana, Ana, Robin, ... Homesetading Skills. (2018, February 1). 6 Homesteading Skills to Learn First. Retrieved from https://timbercreekfarmer.com/6-homesteading-skills-to-learn-first/

Home. (n.d.). Retrieved from https://homesteadlady.com/

Homemade Candles and Candle Making. (n.d.). Retrieved from https://www.sage-urban-homesteading.com/homemade-candles.html

Homemade Paint Formula. (n.d.). Retrieved from https://www.sage-urban-homesteading.com/homemade-paint.html

Homemade Paper Making. (n.d.). Retrieved from https://www.sage-urban-homesteading.com/homemade-paper.html

Homesteading – Advantages of Self-Sufficiency on Your Own Property. (n.d.). Retrieved from http://environmentalprofessionalsnetwork.com/homesteading-advantages-of-self-sufficiency-on-your-own-property/

How Many lands You Need for a Homestead or Farm. (2018, April 13).

Ikona, A., D., B., Brenna, Martinelli, M., Martinelli, M., Brown, M., & Marvin. (2019, October 23). Growing Trees For Profit In Your Backyard: Homesteading. Retrieved from https://homesteading.com/growing-trees-profit-backyard/

Johm, Val, Julie, Stacy, Toni, Kathryn, ... Ruth. (2018, January 30). Bringing a Barn Cat (or two) to Your Homestead. Retrieved from https://104homestead.com/barn-cat-homestead/

Kristyn, Kim, H, A., Jill, Krystyn, Amanda, ... Lorenzen, E. (2018, September 19). DIY Pallet Garden; How to make Raised Wood Pallet Garden Bed. Retrieved from https://busycreatingmemories.com/diy-pallet-garden/

Lynn, Lynn, Katie, Katie, Stacey, Stacey, ... Simple Living Country, Gal. (2019, October 6). 7 Steps to take before you begin your homesteading journey. Retrieved from https://simplelivingcountrygal.com/7-steps-to-take-before-you-begin-your-homesteading-journey/

Marie, Linda, Amanda, & L, T. (2019, November 4). What's the Big Deal GMOs? Retrieved from https://rurallivingtoday.com/homesteading-today/big-deal-gmos/

McCleod, B. R. (2015). Neo-Homesteading in the Adirondack North Country: Crafting a Durable Landscape. Neo-Homesteading in the Adirondack North Country: Crafting a Durable Landscape, 2. Retrieved from https://etd.ohiolink.edu/!etd.send_file?accession=antioch144015275 1&disposition=inline

Ogden Publications, Inc. (n.d.). Guide to Urban Homesteading. Retrieved from https://www.motherearthnews.com/homesteading-

and-livestock/self-reliance/guide-to-urban-homesteading-zm0z14amzrob

Ogden Publications, Inc. (n.d.). A Guide to Buying Homestead Land. Retrieved from https://www.motherearthnews.com/homesteading-and-livestock/guide-to-buying-homestead-land-zmaz82ndzgoe

Pantry Essentials: Ingredients For a Well-Stocked Homestead Kitchen. (2018, December 7). Retrieved from https://thechildshomestead.com/cooking/pantry-essentials/

Patterson, S. (2014, December 22). 3 Priceless Benefits Of Modern Homesteading. Retrieved from https://www.offthegridnews.com/how-to-2/3-priceless-benefits-of-modern-homesteading/

Pawning Through the Ages. (n.d.). Retrieved from https://www.history.com/shows/pawn-stars/articles/pawning-through-the-ages

Poindexter, J., & PoindexterJennifer, J. (2018, April 21). Raising Sheep: A Complete Guide on How to Raise Sheep at Homestead. Retrieved from https://morningchores.com/raising-sheep/

Queck-Matzie, T. (2019, March 13). Farming 101: How to Plant Corn. Retrieved from https://www.agriculture.com/crops/corn/farming-101-how-to-plant-corn

sadie423. (2019, August 13). How to Raise and Care for Goats. Retrieved from https://pethelpful.com/farm-pets/how-to-care-for-goats

Staff, M. C., & MorningChores StaffMorningChores Staff is a team of writers and editors who collaborate to create articles. If the article you are reading is authored by MorningChores Staff. (2019, August 20). 12 Things You Need to Know Before Getting Your First Ducks. Retrieved from https://morningchores.com/about-raising-ducks/

Suwak, M. (2019, October 3). 11 Fast Growing Vegetables For Your Homestead. Retrieved from https://www.primalsurvivor.net/fast-growing-vegetables/

The Editors of Encyclopaedia Britannica. (2014, May 21). Animal husbandry. Retrieved from https://www.britannica.com/science/animal-husbandry

The Ultimate Guide to Farm Dogs on the Homestead from Homestead.org. (2019, January 9). Retrieved from https://www.homestead.org/homesteading-pets/the-ultimate-guide-to-farm-friendly-dogs/

Thoma, M. (2019, September 30). How to Prepare Your Garden For Extreme Weather Conditions [37 Tips!]. Retrieved from https://tranquilurbanhomestead.com/extreme-weather/

Tipsbulletin. (2019, December 14). 70 Wonderful Uses of White Vinegar. Retrieved from https://www.tipsbulletin.com/vinegar/

Vicky, Bedford, L., Hartmann, L., & Marti. (2019, October 28). These 70 Gardening and Homesteading Hacks Will Blow You Away • New Life On A Homestead: Homesteading Blog. Retrieved from https://www.newlifeonahomestead.com/70-gardening-homesteading-hacks-will-blow-away/

Weeks, A. (2019, December 13). 12 Fun DIY Projects For Homesteaders. Retrieved from https://homesteadsurvivalsite.com/diy-projects-for-homesteaders/

Winger, J., Nichole, Nichole, Jill, Jill, Stacie, ... Christian Homefront. (2018, March 18). How to be an Apartment Homesteader • The Prairie Homestead. Retrieved from https://www.theprairiehomestead.com/2011/10/how-to-be-an-apartment-homesteader.html

https://www.youtube.com/watch?v=WLa0RRU0-G8

https://www.youtube.com/watch?v=7AUiV2zorwg

https://www.youtube.com/watch?v=E459XIIuUFE

https://www.survivalsullivan.com/16-surprising-benefits-of-prepping/

https://www.youtube.com/watch?v=o9niShq9_Dg

https://www.askaprepper.com/24-prepping-items-dont-spend-money/

https://www.youtube.com/watch?v=1j5V4rJ2g5I

https://www.youtube.com/watch?v=VtcDiyj9T8k

https://www.happypreppers.com/skills.html

https://www.youtube.com/watch?v=byKqaGUiaFM

https://www.youtube.com/watch?v=Ln5qRknownw

https://www.mnn.com/lifestyle/responsible-living/stories/going-off-the-grid-why-more-people-are-choosing-to-live-life-un

https://www.youtube.com/watch?v=v8Pe_u_4q5M

https://www.youtube.com/watch?v=09IK9OvWpjw

https://www.youtube.com/watch?v=4ts15BW-6hw

https://www.youtube.com/watch?v=8-86NFf2VcE

https://thetinylife.com/common-off-grid-living-misconceptions/

https://morningchores.com/homesteading/

http://www.therealfarmhouse.com/10-steps-to-start-homesteading-on-the-cheap/

https://www.offthegridnews.com/how-to-2/9-crucial-steps-for-the-first-time-homesteader/

https://www.youtube.com/watch?v=fFHn_xoMsAs

https://www.youtube.com/watch?v=w4qcoEXYqK0

https://rurallivingtoday.com/homesteading-today/realistic-off-grid-power-sources/ https://www.treehugger.com/sustainable-product-design/generating-off-grid-power-the-four-best-ways.html

https://insteading.com/blog/off-grid-water-system/

https://www.youtube.com/watch?v=bBF72Een1D8

https://offgridworld.com/how-much-does-it-really-cost-to-go-off-grid/

https://www.youtube.com/watch?v=hJpwy9mUmho

https://www.youtube.com/watch?v=Aa74smEC0OM

https://www.youtube.com/watch?v=vDQUFnTL8tk

https://www.youtube.com/watch?v=K4wO76cqkOU

https://www.skilledsurvival.com/build-survival-medical-kit-scratch/

https://www.youtube.com/watch?v=ks00XG3n7yM

https://survivalistprepper.net/shtf-injuries-and-prevention-for-preppers/

https://unchartedsupplyco.com/blogs/news/bug-out-bag-checklist

https://www.youtube.com/watch?v=ToonXShDAFk

https://www.youtube.com/watch?v=stIjgEaES60

https://www.oldfashionedfamilies.com/6-misconceptions-about-preppers/

https://theppreppingguide.com/what-is-prepping/

https://www.shtfpreparedness.com/new-prepping-start/

https://www.askaprepper.com/24-prepping-items-dont-spend-money/

Printed by BoD™in Norderstedt, Germany